Strijd

HANS MIJNDERS

Strijd

Met tekeningen van
Kees van Scherpenzeel

GROEP 8 VAN DE FONTEIN

Den Hertog - Houten

AVI 7/E5

© 2010 Den Hertog B.V., Houten
ISBN 978 90 331 2277 4

Illustraties: Kees van Scherpenzeel

-1-

'Ons voetbalveld gaat weg!'

Wild met zijn armen zwaaiend stormt Sven de keuken bij Daan en Sofie in. Hij kijkt even rond tot hij Daan ontdekt, die onderuitgezakt op de bank in de keuken een stripboek leest. 'Ons... ons voetbalveld! We moeten iets doen.' Hijgend ploft hij naast Daan neer en veegt het zweet van zijn voorhoofd.

Daan hijst zich overeind en legt het stripboek op de tafel. 'Relax man. Het is maandag... herfstvakantie...' Verbaasd kijkt hij naar zijn vriend, die met een vuurrood gezicht naast hem zit. 'Waar heb je het allemaal over? Ons voetbalveld weg? Hoe kan dat nou?'

'Toch is het zo.' Sven knikt en trommelt onrustig met zijn vingers op de tafel. 'Ik heb het zelf gezien.'

'Wát heb je dan gezien?'

'Een graafmachine.'

'Gaan ze ons veldje afgraven?' Daan haalt zijn schouders op. 'Ik snap er echt niks van.'

'Oké. Luister!' Sven springt weer op. 'Ik moest vanmorgen voor mijn moeder even naar Albert Heijn. Toen kwam ik...' Snel voelt hij in zijn zakken. Opgelucht haalt hij uit z'n linkerjaszak een portemonnee. 'Zo hé, ik dacht dat ik de portemonnee van m'n moeder kwijt was.'

'Je ging naar Albert Heijn,' herinnert Daan zijn vriend. 'En toen?'

'Oh ja. Ik fietste langs ons veldje en toen zag ik dat er een paar mannen de grond aan het opmeten waren. Er stonden ook allemaal paaltjes in de grond.'

'Wat voor paaltjes? Doelpalen?'

'Nee, natuurlijk niet.' Sven haalt zijn schouders op. 'Gewoon... houten paaltjes. Wel vijftig. Ze staken zo'n eind uit de grond.' Hij houdt zijn handen ongeveer twintig centimeter van elkaar.

'Waar deden ze dat voor?'

'Dat wilde ik dus ook weten,' vertelt Sven. 'Daarom ben ik naar die mannen toegegaan en heb het gevraagd.'

'En? Wat zeiden ze?' Daan kijkt gespannen naar zijn vriend.

'Weet je wat er met ons veldje gebeurt?' Svens ogen fonkelen van kwaadheid. 'Er komen huisjes op.'

'Huisjes? Wat voor huisjes?'

'Weet ik veel! Huisjes voor bejaarden, vakantiehuisjes...'

Daan windt zich intussen ook op. 'Waarom gebruiken ze daar ons voetbalveldje voor? Het enige veldje met doelen dat we in het dorp hebben. Belachelijk! Laten ze die stomme huisjes op het plein voor het gemeentehuis neerzetten! Dan kan de burgemeester er de hele dag naar kijken en hebben wij er geen last van.'

'Wat is er met jullie aan de hand?' Sofie komt de kamer in en kijkt met een verbaasd gezicht naar de twee jongens. 'Het is vakantie, hoor.'

'Ze hebben ons veldje ingepikt,' zegt Daan kwaad.

'Wie hebben dat gedaan?'

'Die lui van het gemeentehuis natuurlijk. De burgemeester en zo.'

'Wat een pech... voetbalveldje weg.' Sofie grinnikt. 'Dat rijmt nog ook. Maar waar maken jullie je druk om? Dan ga je toch in het park voetballen.' Ze haalt haar schouders op en loopt de kamer weer uit.

'Lekkere zus heb jij!' Sven kijkt haar kwaad na.

'Lekkere vriendin heb jij!'

'Ik weet wat!' Sven reageert niet eens op Daan. 'We halen alle jongens van de klas op en we gaan protesteren.'

'Protesteren? Hoe wil je dat doen?' Daan kijkt zijn vriend aan.

'Spandoeken ophangen, naar de burgemeester... Weet ik veel.' Sven is vastbesloten. 'We verzinnen wel iets. Kom mee.'

Daan pakt zijn schoenen. Even later staat hij op, pakt de sleutel van de achterdeur en stopt die in zijn broekzak. Met zijn jas in zijn hand loopt hij naar buiten. Daar staat Sven al ongeduldig op hem te wachten.

'Eerst even langs ons veldje,' zegt Daan, als ze naast elkaar weg-rijden.

'Geloof je me soms niet?' Sven kijkt even opzij. 'Dit verzin ik echt niet.'

'Ik geloof je wel,' knikt Daan. 'Maarre... ik wil het zelf zien.'

'Nou zie je het zelf.' Sven knikt naar Daan. 'En? Geloof je me nu?'

'Ik zal wel moeten.' Daan stapt van zijn fiets en loopt het veldje op. Een man staat bij een soort camera op een gele driepoot. Hij kijkt naar zijn collega, die een roodwit gekleurde stok in de grond zet. De stok wordt een paar keer verplaatst. Als de afstand goed is, wordt op de plaats van de roodwitte stok met een enorme houten hamer een paaltje in de grond geslagen.

Daan ziet dat de paaltjes allemaal rechthoeken vormen. 'Daar komt een huisje.' Hij wijst naar de vorm vlak bij hen. 'Een, twee, drie, vier, vijf... en daar komt de zesde.' Hij schudt zijn hoofd. 'Moet je kijken, er komt één huisje bijna tegen ons doel aan te staan. Voetballen kunnen we hier wel vergeten. Wat moeten we nou in de vakantie doen?'

'Actie voeren!' Sven kijkt met een woedend gezicht naar de man-nen. 'Ik heb zin om al die paaltjes weer uit de grond te halen.'

'Dat zal je niet lukken,' zegt Daan. 'Ze zitten minstens twintig cen-timeter diep.'

Als ze het geluid van een vrachtwagen horen, kijken ze om.

'Daar heb je ze al!' knikt Daan.

Een grote wagen stopt bij het veldje. De chauffeur doet het portier open en komt naar buiten.

Op de oplegger staan allemaal witte panelen.

'Dat zijn de muren.' Daan loopt naar de vrachtwagen. 'Kijk, daar liggen betonplaten. Die komen op de grond te liggen. Het zijn gewoon bouwpakketten. In een dag zetten ze die huisjes in elkaar.'

'Kom mee! Ik kan dit niet langer aanzien. We gaan de rest ophalen.'

Met grote stappen loopt Sven naar zijn fiets.

Als ze wegrijden kijkt Daan achterom. De kunststof delen worden van de oplegger getakeld. Een eindje verder rijdt een kraan het veld op om de grond geschikt te maken om de huisjes te plaatsen.

'Eerst naar Erik,' zegt Sven. 'Die woont hier vlakbij.'

'Wil je dan naar iedereen toe?' Daan schudt ongelovig zijn hoofd. 'Dan zijn we een halve dag bezig.'

'Heb jij een beter idee?'

Daan haalt zijn mobiel uit z'n broekzak. 'Sms'en. Dat gaat veel sneller.'

'Goed plan. Kom mee, dan fietsen we naar de bakker. Er staat daar een bankje dat we gelijk als verzamelplaats kunnen gebruiken. En ik heb honger gekregen. Van kwaadheid...'

Even later zitten de jongens allebei met een puddingbroodje in hun ene hand en hun mobiel in de andere hand.

'Echt lekker.' Sven gaat met zijn tong langs zijn lippen. 'Sms jij naar Erik, dan doe ik Maurice.'

Daan neemt de laatste hap van zijn broodje, dan flitst zijn duim over de toetsen van zijn mobiel: *Ons voetbalveldje is weg! Actie! Om 11 uur bij de bakker.*

Tien minuten later hebben alle jongens een sms gehad.

'Wat doen we nu?' Sven kijkt op zijn horloge. 'Het is vijf over tien. Zullen we de meiden ook sms'en?'

Daan schudt zijn hoofd. 'Die interesseert het helemaal niks dat ons veldje weg is.'

Sven knikt. 'Dat is waar. Als ze net zo reageren als Sofie kunnen ze beter thuisblijven.'

Daan gaat op de rugleuning zitten. 'Zullen we meester Rob vragen?'

'Zou hij actie willen voeren?' Sven kijkt bedenkelijk.

'Waarom niet? Hij is supersportief.' Daan ziet in gedachten meester Rob voor zich. Dit schooljaar werkt hij voor het eerst bij hen op school en geeft les aan groep zeven. Vooral de meiden van groep acht vinden hem geweldig. Toen juf Antoinette, hun eigen leerkracht, voor de herfstvakantie een paar dagen ziek was, heeft hij aan groep acht lesgegeven. Op allerlei manieren hebben de meiden laten merken hoe geweldig ze hem vinden.

'Sms'en? Of fietsen we erlangs?'

'Erlangs fietsen.' Daan springt van de bank en pakt zijn fiets.

'Hé, Daan en Sven.' Meester Rob kijkt verrast als hij de jongens ziet staan. Hij heeft een blauwe joggingbroek aan en een wit T-shirt. 'Ik was net van plan te gaan trimmen. Zijn jullie de vakantie nu al zat? Jullie voetballen toch zo graag?'

'Dat doen we ook.' Sven knikt. 'Maar dat kan niet meer.'

'Ons veldje is ingepikt door de gemeente,' vult Daan aan. 'Ze bouwen er huisjes op.'

'Dat is vervelend.' Meester Rob leunt tegen de deurpost.

'Het is gemeen!' zegt Sven fel. 'Waarom zetten ze die stomme huizen op ons veldje? Nou kunnen wij nergens meer voetballen.'

'Ja.' Meester Rob knikt. 'Ik vind het heel vervelend, maar...' Hij kijkt de jongens vragend aan. 'Jullie zijn niet zomaar naar mij toegekomen.'

'Nee.' Sven schudt zijn hoofd. 'We gaan met alle jongens actievoeren. We dachten... misschien heeft u nog een goed idee.'

Meester Rob schiet in de lach. 'Actievoeren? Ik?' Hij schudt zijn hoofd. 'Dat lijkt me niet zo'n goed plan. Maar...' Hij denkt na. 'Zijn jullie al op het gemeentehuis geweest? Als ik jullie was zou ik daar om een oplossing gaan vragen. Misschien hebben ze die daar al bedacht en weten jullie dat niet.' Hij knikt. 'Dat zou ik zeker doen. Vragen waar jullie nu moeten voetballen. Maar... wel beleefd blijven!'

2

'Zo-o!' De vrouw achter de receptie kijkt verbaasd naar de jongens voor haar. 'Dat is een hele optocht. Wat komen jullie doen?'

Sven stapt naar voren. 'Wij willen burgemeester De Keijzer spreken.'

De vrouw glimlacht. 'Hebben jullie een afspraak?'

'Een afspraak? Nee.' Sven kijkt naar Daan, die naast hem is komen staan.

'Eh...' Daan schudt zijn hoofd. 'Wilt u aan de burgemeester vragen of hij tien minuten tijd voor ons heeft? Alstublieft?' Hij kijkt de vrouw smekend aan. 'Het is echt héél belangrijk. Zegt u maar tegen de burgemeester dat wij allemaal op De Fontein zitten.'

De vrouw schiet in de lach. 'Dat klinkt wel heel spannend. Waarom willen jullie de burgemeester spreken? Of mag ik dat niet weten?'

'Ons voetbalveld is ingepikt!' Sven gaat gelijk harder praten. 'En dat is niet eerlijk. Waar moeten wij nou voetballen?'

De vrouw pakt een A4-tje van haar bureau en bestudeert dat even. 'Jullie hebben geluk, de burgemeester is aanwezig en heeft op dit moment geen vergadering. Het is niet gebruikelijk, maar ik zal kijken of hij even tijd voor jullie heeft.' Ze wijst naar een aantal stoelen. 'Ga daar maar even zitten.'

In de hal van het gemeentehuis is het druk. Mensen zitten te wachten tot hun nummer op een scherm verschijnt en ze naar een van de balies kunnen. Daan kan zich herinneren dat hij een keer met zijn moeder is mee geweest om een paspoort op te halen.

Bij een van de balies staat een man druk te gebaren. Hij heeft een pasfoto in zijn hand en is het duidelijk niet eens met de vrouw die hem helpt.

'Iedereen kan toch zien dat ik dit ben.' Met een klap legt hij de pasfoto weer voor zich neer en schudt vol onbegrip zijn hoofd. Het lukt hem niet de vrouw te overtuigen. Uiteindelijk grist hij de pasfoto van de balie en loopt scheldend weg.

Daan ziet dat de vrouw achter de receptie zit te telefoneren. Zou ze nu de burgemeester bellen? Jammer dat hij te ver van haar af zit om haar te verstaan.

'Hoe kunnen wij nou weten dat we een afspraak moeten maken?' Sven stoot hem aan. 'Wat denk jij? Zou de burgemeester met ons willen praten?'

'Ik denk het wel. Als hij hoort dat we van De Fontein zijn heeft hij vast wel even tijd. Hij heeft ons de prijs gegeven voor onze kar en hij is aan het begin van de Kinderboekenweek wezen voorlezen.'

'Dat is wel zo,' knikt Sven. 'Maar...' De mevrouw van de receptie is opgestaan en wenkt.

'Heeft de burgemeester tijd?'

Ze knikt. 'Een kwartier. Om half twee heeft hij weer een overleg.'

'Mooi zo.' Sven wenkt naar zijn klasgenoten. 'Kom op jongens, we gaan naar de burgemeester.'

'Lopen jullie maar even mee, in de kamer van de burgemeester staan te weinig stoelen.'

De jongens lopen achter de vrouw aan en komen zo in een vergaderzaal. In een grote cirkel staan minstens tien tafels. Achter elke tafel staan twee grote stoelen.

'Gaan jullie maar zitten. De burgemeester kan elk moment... Ah, daar is hij al.'

Met grote stappen komt burgemeester De Keijzer de kamer binnen. Onder zijn arm heeft hij een dikke map. Terwijl hij met zijn hand door zijn haar strijkt, kijkt hij even rond. 'Goedemorgen.'

Dat klinkt tenminste vriendelijk, denkt Daan.

De burgemeester gaat de kring rond en geeft iedereen een hand.

'Jullie zitten allemaal in groep acht van basisschool De Fontein? Ja? Dan zijn jullie een van de winnaars van de optocht met versierde karren.'

'Ja, burgemeester.' Sven knikt.

'En... hebben jullie al bedacht wat jullie met de driehonderd euro gaan doen?'

'Een voetbalveld kopen.'

Daan kijkt verbaasd naar zijn vriend.

Sven schrikt van zijn eigen woorden. Hij slaat zijn hand voor zijn mond en wordt rood.

De burgemeester lacht. 'Een voetbalveld van driehonderd euro, dat zal niet groot worden. Maar we zijn waarschijnlijk gelijk bij het onderwerp waar jullie mij over willen spreken. Of heb ik het verkeerd begrepen?'

De jongens knikken.

'Mooi zo. Vertel maar.' De burgemeester kijkt rond. 'Wie doet het woord?'

Sven gaat staan. 'Ikke. Waarom moeten er huizen op ons voetbalveldje komen? Er is in het dorp maar één veldje met doelen en dat kunnen we niet meer gebruiken. Dat is niet eerlijk. Die huisjes kunnen toch ergens anders worden neergezet?'

De burgemeester knikt. 'Ik snap jullie probleem. Maar deze huizen zijn voor asielzoekers. Op dit moment wonen ze ergens in het noorden van ons land, maar het centrum waar ze worden opgevangen is overvol. Daarom is er gezocht naar een nieuwe plek voor deze mensen.'

'Dus het is voor asielzoekers!' Sven trekt een lelijk gezicht. 'Echt stom. Laten die lui in hun eigen land blijven.'

'Nou, nou...' De burgemeester schudt zijn hoofd. 'Dat jullie het jammer vinden dat jullie daar niet meer kunnen voetballen, begrijp ik. Maar zo kun je niet over asielzoekers praten.' Hij kijkt even naar Sven.

'Maar waarom op ons veldje?' Daan schuift naar het puntje van zijn stoel.

'Waar zouden jullie de huizen dan neerzetten?' wil de burgemeester weten.

Daan haalt zijn schouders op. 'Plek zat. Op het plein voor het gemeentehuis bijvoorbeeld.'

'Dat is een goeie!' De burgemeester schiet in de lach. 'Zouden jullie daar zelf willen wonen?' Hij schudt zijn hoofd. 'Nee, jongens. Dat gaat niet lukken.'

'Maar waar moeten wij nu voetballen?' Daan ergert zich aan het vrolijke gedoe van de burgemeester.

'Is er echt nergens meer een grasveld waar jullie kunnen voetballen? Dat kan ik me niet voorstellen.'

'Dat is er wel,' knikt Daan. 'In het park. Maar daar is het veel kleiner.'

'En er staan geen doelpalen op,' vult Sven aan.

'Dat laatste is gemakkelijk op te lossen,' zegt de burgemeester. 'We verplaatsen de doelen van jullie veldje naar het park. Daar wordt toch al regelmatig gevoetbald?' Hij schuift zijn stoel naar achteren en staat op. 'Ik zal mijn best doen om dat deze week nog te regelen.'

'Die man heeft zelf zeker nooit gevoetbald.' Maurice trapt met een kwaad gezicht tegen een paar steentjes, die voor de ingang van het gemeentehuis liggen. 'In het park is er echt niks aan! Veel te klein en nog een eind fietsen ook.'

'Zo ver is dat nou ook weer niet,' vindt Erik.

'Ze moeten gewoon van ons veldje afblijven.' Sven blijft staan en wijst. 'Moet je kijken, hier is ruimte voor wel tien huisjes.'

'Dat vindt de burgemeester dus niet,' lacht Erik.

'Zou jij hier willen wonen?' doet Daan de stem van de burgemeester na.

'Toch vind ik het aardig dat hij deze week de doelen in het park zet,' houdt Erik vol.

'Láát zetten, bedoel je zeker. Je denkt toch niet dat hij dat zelf gaat doen.' Sven kijkt kwaad. 'Ik had toch gewoon gelijk? Die asielzoekers moeten weg. Wat hebben ze hier te zoeken? Niks!'

'Gaan we actievoeren?' Maurice kijkt naar zijn vrienden.

'Ikke niet.' Daan schudt zijn hoofd. 'Dat heeft toch geen zin.'

'Vanmorgen zei je nog heel wat anders.' Sven kijkt hem verontwaardigd aan. 'Doe niet zo flauw, man.'

'Actievoeren helpt toch niks.'

'Dat weet je niet. Ik heb een idee.'

'Vertel.' Daan is nieuwsgierig wat voor plan Sven nu weer heeft bedacht.

'Oké.' Sven is zachtjes gaan praten.

'Hé, jongens!'

Daan draait zich om en ziet dat Sofie, Lotte, Brenda en Patricia het plein voor het gemeentehuis op fietsen. 'Wat zouden die nou weer hebben?'

'We krijgen een nieuw meisje in de klas!' roept Patricia.

'Hoe weet je dat?' Sven kijkt verrast naar de meiden. 'Daar heeft de meester vorige week niks over gezegd.'

'Toen wist hij het nog niet,' zegt Sofie.

'Maar hoe weten jullie het dan?' Daan gaat op de bagagedrager van zijn zus zitten.

'Lotte en ik zijn naar jullie veldje toegegaan om te kijken wat er aan de hand was. Er waren daar mannen aan het werk. Toen zagen we dat er een vader, moeder en drie kinderen op het veldje liepen. Je kon zien dat het asielzoekers waren.'

'Hoe dan?'

'Het waren geen Nederlanders en ze...'

'De mannen die daar aan het werk waren zeiden het zelf,' valt Lotte haar vriendin bij.

'Ja, en waarom zouden ze anders op het veldje kijken?' vraagt Sofie.

'Om te voetballen natuurlijk,' zegt Sven.

'Stil nou even,' gebaart Daan naar zijn vriend. 'Hoe weet je dat een van die meisjes in groep acht zit? Ze spreken toch geen Nederlands.'

'Best wel. Nasim heeft bijna twee jaar in een asielzoekerscentrum gezeten,' vertelt Sofie.

'Nasim?'

'Zo heet het oudste meisje. Ze is twaalf jaar en komt met haar ouders en haar twee broertjes uit Irak.'

'Nasi uit Irak? Ik dacht dat de nasi uit China kwam,' merkt Sven lachend op.

'Doe normaal, man.' Sofie kijkt Sven kwaad aan.

'Iemand die ons veldje afpikt wil ik niet in de klas hebben.'

'Wat ben jij gemeen. Denk je dat Nasim voor haar lol naar Nederland is gekomen? Irak is een supergevaarlijk land. Jij kunt alleen maar aan jezelf en dat stomme voetballen denken. Ik vind het juist goed dat die mensen naar Nederland kunnen vluchten.'

'Maar niet naar ons veldje,' zegt Sven kwaad.

'Dus jullie doen niet mee?' Sofie kijkt naar Sven en Daan.

'Waarmee?'

'Wij hebben iets heel leuks bedacht,' vertelt Lotte. 'We willen Nasim een cadeautje geven van onze klas, als welkom.'

'Een cadeautje?' Sven trekt een vies gezicht. 'Waar slaat dat nou op?'

'Dat is toch leuk. Als we allemaal een euro geven, kunnen we best iets moois kopen.'

'Weet je wat?' Sven windt zich steeds meer op. 'M'n voetbal kan ze krijgen.'

'Goed, geef maar.' Sofie houdt haar hand op.

'Bekijk het maar!' Met een kwaad gezicht draait Sven zich om.

'Ik doe ook niet mee.' Daan gaat achter zijn vriend aan. 'En ik denk dat niemand van de jongens het een goed idee vindt.'
'Jullie mogen al niet eens meer meedoen!' roept Sofie hen kwaad na.

3

Chagrijnig fietst Daan aan het eind van de middag naar huis. Z'n eerste vakantiedag had hij zich heel anders voorgesteld.

Al fietsend pakt hij zijn mobiel uit zijn zak. Zoals hij al vermoedde heeft hij een bericht van Sven: *Vanavond half acht bij mij thuis.* Wat zou die bedacht hebben? Even overweegt hij Sven te bellen, maar stopt zijn mobiel toch weer terug in zijn broekzak. Hij kent zijn vriend goed genoeg om te weten dat hij nu niks vertelt.

Daan zet zijn fiets tegen de muur van het schuurtje en gaat naar binnen. Zijn vader is ook al thuis en zit de *Nieuwsflits* te lezen, een nieuwe plaatselijke krant die elke maandag en donderdag verschijnt.

'Hé, Daan.' Zijn vader bladert terug naar de voorpagina en houdt die omhoog. 'Dat is toch jullie voetbalveldje?'

Op de voorpagina staat een grote foto van hun veldje. Duidelijk zijn de paaltjes te zien die aangeven waar de huisjes voor de asielzoekers moeten komen. Die foto moet vanmorgen zijn genomen. Boven de foto staat met vette letters:

ASIELZOEKERS IN ONS DORP!

Daan maakt een wegwerpgebaar. 'Er is gelijk niks meer aan de vakantie! Waar moeten we nou voetballen? Ze zetten ons hele veldje vol met die stomme huisjes!'

'Die mensen moeten ook ergens wonen.'

'Dat zegt iedereen! Maar die huisjes staan wel mooi op óns veldje! Nu kunnen we helemaal naar het park, maar daar is het veel kleiner!'

Vader zucht. 'Ga praten met de burgemeester.'

'Dat hebben we al gedaan.'

'Echt waar?' Vader kijkt verrast. 'Vertel.'

Om kwart over zeven pakt Daan zijn jas van de kapstok. 'Ik ga nog even naar Sven.'

'Half negen thuis, hè!' roept zijn moeder.

'Oké!' Daan trekt de achterdeur dicht en pakt zijn fiets. Terwijl hij wegrijdt checkt hij zijn mobieltje. Geen berichten. Wat is zijn vriend van plan? Daan heeft zich suf gedacht. Het heeft iets met de asielzoekers te maken, maar wat? Als Sven maar niks gemeens van plan is, want dan bekijkt hij het maar.

Ook nu komt hij weer langs het veldje. Hij ziet dat er al drie huisjes in elkaar zijn gezet. Tegen een doelpaal staan een paar muren van kunststof. Zo'n haast heeft de burgemeester dus niet met het verplaatsen van de doelen! 't Zal hem benieuwen of ze aan het eind van de vakantie zijn overgeplaatst.

Daan zet zijn fiets tegen een boom en loopt naar een van de huisjes. Hij duwt tegen de deur, maar die zit op slot. Als hij door een raam naar binnen kijkt, ziet hij een kleine ruimte. Zou dit de woonkamer zijn? Dan is het te hopen dat die asielzoekers geen grote gezinnen hebben. Hij loopt rond het huisje en ontdekt nog twee kleine ruimtes. Dat moeten slaapkamers zijn. Je zal hier moeten wonen! De caravan die ze in de zomervakantie hebben gehuurd was nog groter. Hij werpt nog een blik in het huisje en gaat dan weer terug naar zijn fiets.

'Hé Daantje!' Sven staat al op hem te wachten.

'Hoi.' Daan neemt zijn vriend nieuwsgierig op. Onder de snelbinder zit een plastic tas, meer kan hij niet ontdekken. 'Wat ben je van plan?'

'Gewoon, een geintje.' Sven lacht geheimzinnig. 'Kom mee.' Zonder verder iets te zeggen stapt hij op z'n fiets.

'Hé, stop nou even.'

Sven kijkt achterom. Als hij ziet dat Daan is blijven staan keert hij om. 'Wat is er nou?'

'Ik wil eerst weten wat je van plan bent.' Daan leunt op zijn stuur, vastbesloten niet verder te gaan tot Sven zijn plan heeft verteld.

Sven kijkt even rond of hij iemand ziet. 'Niks bijzonders, man. Ik heb twee spandoeken gemaakt en die wil ik bij de doelen ophangen.' Hij kijkt Daan aan. 'Valt mee, hè?'

Daan knikt. Het valt inderdaad mee. Hij had het vermoeden dat Sven met spuitbussen aan de gang wilde. Een spandoek ophangen is minder heftig dan muren vol hatelijke teksten spuiten. Tenminste... 'Wat staat er eigenlijk op?'

'Het zijn twee verschillende.

en

22

Daan schiet in de lach. 'Wat goed! Heb jij die bedacht?'
'Samen met m'n vader.'
'Met je vader?'
'Ja,' grijnst Sven. 'Dat had je zeker niet gedacht van mijn pa? Ik had een paar gave teksten verzonnen, maar die konden niet volgens hem. Toen heeft hij geholpen om minder heftige te verzinnen. Hij heeft zelfs geholpen met verven.'
'Dat zie ik mijn pa nog niet doen. Wat had jij dan bedacht?'
Sven haalt een blaadje uit zijn broekzak.

Word een held,
pest de asielzoekers van het voetbalveld.

'Wel heftig,' lacht Daan.
'Deze vond ik ook leuk:

De burgemeester is van Lotje getikt:
hij heeft ons voetbalveldje ingepikt.

Mijn pa zei dat het wel zo was, maar dat je dat niet op een spandoek kunt schrijven. Maar wat doe je? Ga je mee of blijf je hier?'
'Ik ga mee.'

Het is al schemerig als ze hun fiets achter een van de huisjes zetten.
'Echt klein,' vindt Sven. Hij loopt om een huisje heen en kijkt door de ramen naar binnen. 'Mijn slaapkamer is bijna net zo groot als

hun woonkamer. Wanneer komen die mensen eigenlijk?'

'Volgens de meiden komt... Hoe heet ze ook alweer?'

'Nasi.'

Daan grinnikt. 'Oh ja, Nasim. Hoe kan ik dat vergeten? Waarschijnlijk omdat ik niet van Chinees eten houd. Ze zeggen dat Nasim na de vakantie bij ons in de klas komt.'

'Volgende week al?' Sven kijkt rond. 'Dan moet er deze week nog hard worden gewerkt.'

'Misschien komt de burgemeester wel helpen,' zegt Daan. 'Kan hij gelijk de doelen meenemen. Maar laten we nou eerst die spandoeken ophangen. Ik wil niet dat iemand ons hier ziet.'

Sven pakt een groot wit laken uit de plastic tas en loopt naar een van de doelen. 'Ik hoop dat de touwtjes lang genoeg zijn.' Hij geeft het ene uiteinde aan Daan. 'Blijf jij hier staan, dan loop ik naar de andere kant.'

Het spandoek komt niet van paal tot paal, maar dat is juist goed. Zo kunnen ze het doek strak ophangen en is de tekst beter te lezen.

'Hoe maken we 'm vast?' De touwtjes waar Sven het over had, kan Daan niet ontdekken.

'Oh, wacht! Die zitten in m'n zak.' Sven legt het doek neer en komt naar Daan. 'De gaatjes heb ik er al in gemaakt. Even kijken... Ja, hier en hier.'

Daan steekt een touw door het bovenste gaatje. Sven doet hetzelfde aan de andere kant. 'Even meten?'

Ze trekken aan de touwtjes.

'Helemaal goed.' Sven knikt tevreden. 'We maken deze gelijk vast, oké?'

Het is nog lastig om het touw goed aan de paal vast te maken.

'Je moet het touw ook een keer om de lat draaien,' zegt Sven. 'Dan blijft het beter zitten.'

Nadat ook het tweede touw is vastgemaakt, doen ze een stap naar achteren en bekijken tevreden het resultaat.

'Wat zijn jullie daar aan het doen?' Achter hen klinkt een zware stem.

Geschrokken draaien de jongens zich om.

Ze zien een man die hen vriendelijk toeknikt. 'Aan het actievoeren, jongens?'

'Klein beetje,' mompelt Sven.

Daan neemt de man intussen op. Hij heeft hem eerder gezien, maar wanneer?

'Vinden jullie het goed als ik een foto neem?' De man haalt een digitale camera uit zijn zak.

'Waarom?' wil Sven weten.

'Bent u van de *Nieuwsflits*?' Ineens weet Daan het weer.

'Goed geraden.' De man steekt zijn hand uit. 'Joep van der Wely. Ik kwam even kijken of er al huisjes af zijn. Vanmorgen heb ik een foto genomen, maar toen stonden er alleen nog maar een paar losse delen.'

'Maar ik wil niet in de krant.' Daan stelt zich voor hoe zijn ouders reageren als ze een foto zien, waar hij met Sven een spandoek aan het ophangen is.

De man knikt begrijpend. 'Maar een foto van jullie spandoek is toch zeker geen bezwaar.' Hij doet een paar stappen opzij en kijkt op het schermpje. Na een paar foto's is hij tevreden. 'De tekst op het spandoek is goed te lezen en je ziet ook nog een gedeelte van een huisje op de achtergrond. Zal ik er echt niet één van jullie nemen? Dan maak ik er een actiefoto van, terwijl jullie het spandoek aan het ophangen zijn.'

'Ik doe niet mee.' Daan is vastbesloten.

Joep van der Wely kijkt Sven vragend aan. 'Jij wel?'

'Goed.'

Even later doet Sven of hij een touw aan een doelpaal vastmaakt. De foto wordt zo genomen dat ook nu de tekst weer goed is te lezen.

Joep is tevreden. 'Ik maak er een mooi stukje van.'
Hij wijst naar het plastic tasje. 'Heb je nóg een spandoek?'
Sven haalt het tweede laken uit de plastic tas.
'"Je bent een rund als je met ons voetbalveldje stunt,"' leest Joep.
'Hoe krijgen jullie het bedacht!'
'Wanneer komt het in de krant?' wil Sven weten.
'Donderdag.'
'Op de voorpagina?'
'Ik zal mijn best doen.' Joep knipoogt. 'Jongens, succes met jullie actie!'

Tien minuten later hangt ook het tweede spandoek. Met hun fiets aan de hand lopen de jongens over het veldje naar de weg. Daar bekijken ze nog even het resultaat.
'Ze zijn allebei goed te lezen,' knikt Sven tevreden.
'Maar als ze daar een huisje neerzetten niet meer,' wijst Daan.
Sven kan er niet mee zitten. 'Dan kan iedereen het donderdag in de krant lezen. Waarom wilde jij eigenlijk niet op de foto?'
'Denk je dat jouw vader en moeder het leuk vinden als je met dat spandoek in de krant staat?'
'Waarom niet?' Sven propt het lege plastic tasje onder zijn snelbinders en gaat op zijn fiets zitten. 'Mijn vader heeft met verven toch ook geholpen. Dan moet hij nu ook niet zeuren.'

4

Voor de zoveelste keer loopt Daan een paar treden de trap af, bukt en kijkt naar de voordeur. Nog altijd geen krant!

De laatste dagen waren best saai.

Dinsdag is hij met zijn moeder en Sofie naar de stad geweest om kleren te kopen. Tussen de middag hebben ze bij V&D gegeten. Dat was wel leuk.

Gistermiddag is hij bij Sven op de Wii geweest. Net of je echt aan het tennissen bent.

Gevoetbald hebben ze deze week nog niet. Erik en Maurice wilden naar het veldje in het park, maar Sven en hij hadden daar geen zin in.

'Als de burgemeester hoort dat wij daar voetballen denkt hij dat we alles alweer zijn vergeten,' had Sven gezegd. 'Hij moet ons helpen.'

Daan was het met zijn vriend eens geweest. Laat de burgemeester eerst maar eens zorgen dat de doelen verplaatst worden.

Regelmatig is hij langs hun veldje gefietst. De huisjes zijn intussen allemaal opgebouwd. Vanmiddag stonden er twee grote vrachtwagens. Allebei van 'Van Gemerden Interieur'. De laadruimte van de auto's stond vol banken, tafels en kasten. In een huisje zag hij dat mensen bezig waren gordijnen op te hangen.

Volgens Sofie komen zaterdag de eerste bewoners al. De meiden gaan vrijdagavond naar de winkel om voor Nasim een welkomstcadeautje te kopen. Aan de jongens hebben ze niks meer gevraagd.

Hé! Is dat de brievenbus?

Daan kijkt uit het raam en ziet een krantenjongen lopen. Eindelijk!

Snel rent hij de trap af en pakt de *Nieuwsflits* van de mat.
Geduld om te gaan zitten heeft hij niet. Ongelooflijk... op de voorpagina! En nog wel in kleur!
Snel leest hij het artikel.

ASIELZOEKERS OP VOETBALVELD
-Door Joep van der Wely-

Zaterdag zullen de eerste huisjes op het grasveld aan
de P.C. Hooftstraat in gebruik worden genomen.
Om 10.00 uur zal burgemeester De Keijzer op feestelijke
wijze de sleutel aan de eerste bewoners overhandigen.
Toch zijn niet alle inwoners van ons dorp blij met de
komst van de asielzoekers.
Gisteren waren twee 12-jarige jongens bezig spandoeken
op te hangen. De tekst op de spandoeken spreekt voor
zich: *Asielzoekers willen ook een huis, maar horen op ons
voetbalveld niet thuis* en *Je bent een rund als je met
ons voetbalveldje stunt.*
De boodschap van de jongens is duidelijk. Ze gunnen de
asielzoekers een eigen woning, maar ze zijn boos omdat
hun voetbalveldje daarvoor wordt gebruikt.

Sven, één van de twee jongens, vertelde dat ze afgelopen
maandag kort met burgemeester De Keijzer hebben
gesproken. De burgemeester heeft beloofd dat de doelen
worden verplaatst naar een grasveld in het park, maar tot
vanmorgen was dat nog niet gebeurd.

Met de krant in zijn hand loopt Daan naar de kamer, gaat op de bank zitten en bestudeert de foto.

Sven staat met zijn hand tegen een van de doelpalen geleund, een brede smile op zijn gezicht. De tekst van het spandoek is goed te lezen, daar heeft Joep wel voor gezorgd.

Daan is blij dat hij heeft geweigerd op de foto te gaan. Hoewel... In het artikel wordt gesproken over twee jongens. Het is niet moeilijk te raden dat hij dan de tweede is.

Bam! Met een klap wordt de deur dichtgeslagen. Met haar jas nog aan en een tas over haar schouder staat Sofie voor hem. Ze zet haar handen in haar zij en haar ogen fonkelen. 'Wat zijn jullie ongelooflijke egoïsten. Bah!' Ze rukt de krant uit zijn handen, zoekt even en leest dan voor: '"De boodschap van de jongens is duidelijk. Ze gunnen de asielzoekers een eigen woning, maar ze zijn boos omdat hun voetbalveldje daarvoor wordt gebruikt."' Woedend schudt ze haar hoofd. 'Wat een onzin! Denk maar niet dat ik nog langer verkering wil met Sven. En Lotte... Die vertelt nog wel een keer wat ze van jou vindt.'

Ze frommelt de krant in elkaar en gooit die op de bank. 'Hoe denk je dat Nasim zich voelt als ze dit leest?'

'Die kent amper Nederlands,' mompelt Daan.

'Haha. Wat zijn we weer grappig. Jullie weten niks af van asielzoekers. Denk je dat het leuk is om in een asielzoekerscentrum te moeten wonen? De mensen die daar wonen weten niet of ze in Nederland mogen blijven. Elke dag kunnen ze horen dat ze terug moeten naar hun eigen land.'

'Daar horen ze toch.' Daan wordt nu ook kwaad. Typisch Sofie. Omdat hij een jaar is blijven zitten, denkt ze altijd dat ze slimmer is dan hij.

'Waar horen ze?' Sofie knoopt haar jas los. Haar gezicht is intussen rood van kwaadheid.

'In hun eigen land.'

Sofie wijst naar haar voorhoofd. 'Jij spoort niet helemaal. Probeer je eens voor te stellen hoe die mensen in een azc zich voelen, misschien reageer je dan niet zo stom.'

'Azc?' Daan kijkt haar aan.

'Weet je dat niet eens? Azc is de afkorting van asielzoekerscentrum.'

Blieb blieb, blieb blieb.

Daan pakt zijn mobiel uit zijn broekzak.

'Een bericht van je vriendin, wedden?' Sofie is nog altijd woedend.

'Pardon... ex-vriendin.'

Daan probeert onverschillig te kijken als hij het bericht leest:

Zonder iets te zeggen stopt hij zijn mobiel terug in zijn broekzak.

'Wat had ze?'

'Daar heb jij niks mee te maken.'

'Pff. Ik weet het toch wel.'

Opnieuw hoort Daan dat hij een sms'je krijgt. Even twijfelt hij of hij zal wachten tot zijn zus weg is. Dan pakt hij zijn mobiel. Hij moet zich door haar niet op zijn kop laten zitten. Hé, een bericht van Sven:

> **Lotte**
> Dapper, stiekem een spandoek ophangen... maar niet heus! Als je maar niet denkt dat ik nog langer verkering met je wil! Lotte.

> **Sven**
> Gave foto hè. Alleen zijn de meiden nu een beetje ☺ kwaad, maar dat gaat wel weer over. Doei Sven.

Sven heeft dus ook al op z'n kop gehad. Maar hij heeft gelijk. De meiden zijn wel vaker ergens kwaad over geweest, maar dat duurde nooit lang. Daan twijfelt alleen of de bui nu ook snel over zal gaan. Met een schuin oogje kijkt hij naar Sofie.

'Weer een bericht van Lotte?'

'Nee.'

'Van Sven dus,' raadt Sofie. 'Die is natuurlijk apetrots dat hij met z'n hoofd in de krant staat. Zo kinderachtig is hij wel.'

'Wie is er kinderachtig?' Ze hebben moeder niet binnen horen komen.

'Hoi, mam!' zegt Sofie.

Daan begroet zijn moeder met een glimlach. Hij is bang dat Sofie nu al haar verontwaardiging over haar moeder gaat uitstorten.

Zie je wel, daar heb je het al. Sofie pakt de *Nieuwsflits* van de bank en vouwt die glad. 'Moet je lezen.' Ze houdt de krant voor haar moeder.

Moeder kijkt even verbaasd van Sofie naar Daan en pakt dan de krant. Al mompelend leest ze het artikel. Dan houdt ze de krant een eindje van zich af. 'Dat is Sven. Hij...'

'Maar wat vindt u er nou van?' onderbreekt Sofie haar moeder.

'Spandoeken ophangen tegen asielzoekers. Dat is toch laf.'

'Nou... laf vind ik wel erg sterk gezegd,' aarzelt moeder. 'Sven en Daan snappen best dat asielzoekers ook recht hebben op een eigen huis, ze vinden alleen jammer dat die huisjes precies op hun voetbalveld zijn neergezet.'

Verrast kijkt Daan naar zijn moeder.

Sofie schudt haar hoofd. 'Dus u vindt het normaal dat ze spandoeken ophangen?'

'Dat zeg ik niet. Maar ik snap de jongens wel.'

'Die kunnen gewoon voetballen in het park.'

'Daar hadden ze die huisjes toch ook neer kunnen zetten,' zegt Daan.

'Maar...' Sofie staart even voor zich uit, dan loopt ze met grote stappen de kamer uit.

Bij de deur draait ze zich nog even om. 'De meiden zullen zaterdag aan Nasim laten weten dat ze welkom is. Daar hebben we die kinderachtige jongetjes van onze klas niet voor nodig.' Dan stampt ze de trap op.

'Dat weet je dan ook weer,' zucht moeder.

5

Kwart voor negen! Daan draait zich om en doet zijn ogen weer dicht. Hij heeft nog een hele zaterdag voor zich. Het is veel te vroeg om nu zijn bed al uit te stappen.

'Mam, ma-am!'

Is dat Sofie? Die is de hele vakantie niet voor een uur of tien beneden geweest. Daan steunt op z'n ellebogen en kijkt opnieuw op z'n wekker. Het is nog geen tien voor negen.

'...de slingers?'

Slingers? Daan wrijft z'n ogen uit. Wat is er vandaag aan de hand? Is er iemand jarig? Z'n pa of ma, Kristian... Nee. Trouwens, ze hangen al jaren geen slingers meer op met een verjaardag.

'Wat een leuke!' hoort hij zijn zus beneden zeggen.

Nu wil hij weten wat er aan de hand is ook. Hij is toch te wakker om verder te slapen. Daan trekt zijn sokken aan en loopt naar beneden.

Op de keukentafel ligt een plastic tasje. Er zit een felgekleurde slinger in gefrommeld. Ernaast liggen een zak ballonnen en een pompje.

'Oh... hoi!' Sofie komt met een pakje binnen, dat in zilverkleurig papier is ingepakt. Er zit een enorme strik omheen. 'Wat ben jij vroeg wakker.'

'Dat kan ik beter van jou zeggen,' mompelt Daan. Hij schenkt een glas jus d'orange in en gaat op de bank zitten. 'Wat ben jij van plan? Is er iemand jarig of zo? Heb ik iets gemist?'

Sofie kijkt hem even met een minachtende blik aan. 'Nee, gemist heb je niks. Helaas niet. Zaterdagmorgen, tien uur. Daar heeft dit allemaal mee te maken.' Ze knikt naar de spullen op de tafel.

Nasim... de burgemeester gaat de sleutel aan de eerste bewoners overhandigen... Ineens weet Daan het weer. Tegelijk voelt hij zich kwaad worden. Wat een gemene opmerking van z'n zus. 'Wat bedoel je eigenlijk met *helaas niet*?' Hij schenkt nog een glas jus d'orange in. Dat doet hij zo wild dat het sap over de rand van het glas op de tafel stroomt.

'Kijk uit, sukkel.' Sofie schuift het pakje en de plastic tas een eind opzij. Terwijl ze haar jas aantrekt zegt ze: 'Weet je het weer?'

'Ga je daar echt slingers ophangen? Vind je dat niet een beetje kinderachtig?'

Sofie stopt het pakje ook in een plastic tas. 'Ga je echt spandoeken ophangen? Vind je dat niet een beetje kinderachtig?' Dan draait ze zich om. 'Dag mam, dag pap! Tot straks!' Met een klap trekt ze de achterdeur achter zich dicht.

Tot straks? Zouden zijn vader en moeder echt naar de overhandiging van de sleutel gaan? Met zijn glas jus d'orange in de hand loopt Daan naar de kamer, waar zijn vader de krant zit te lezen. 'Hé pa. Gaan jullie straks echt naar ons veldje?'

Vader kijkt op van zijn krant en knikt. 'Waarom niet?'

'Maar u vindt het toch ook stom dat ze ons veldje hebben ingepikt? Dat hebt u zelf gezegd.'

'Vind ik ook.' Vader vouwt zijn krant dubbel en staat op. 'Maar daar kunnen die asielzoekers niets aan doen. Ik heb pas een artikel gelezen over het leven van die mensen.' Hij schudt zijn hoofd. 'Ongelooflijk. Ik zal het eens opzoeken, dan kun jij het ook lezen.'

Daan banjert onrustig door het huis. De kamer, de keuken, z'n slaapkamer... Overal is hij al geweest, maar nergens is hij langer dan een paar minuten.

Z'n vader en moeder zijn om half tien vertrokken.

Ze moesten eerst een boodschap doen en zouden daarna gelijk

doorgaan naar het veldje.

Al een paar keer heeft hij zijn mobiel gepakt om Sven te bellen. Gisteren hebben ze afgesproken om niet te gaan. Vooral omdat ze niet nog meer ruzie met de meiden willen. Toch zal het hem niet verwonderen als Sven zich op het laatste moment bedenkt.

Kwart voor tien...

Daan aarzelt. Hij zou best even een blik op het veldje willen werpen. Kijken hoeveel mensen er zijn, misschien ziet hij Nasim...

Ineens weet hij het. Hij rent naar zijn kamer om zijn pasje van de bibliotheek te pakken. Laat hij gelijk de leesboeken maar meenemen, die heeft hij al meer dan twee weken in huis.

Hij voelt even of de sleutel van de achterdeur in zijn broekzak zit. Dan pakt hij zijn jas en gaat de deur uit.

Als hij zijn fiets uit de schuur pakt, valt zijn oog op de vuilniszak naast de ingang. Er steekt een stuk wit doek uit. Hij bukt zich over zijn stuur heen en trekt aan het laken.

Nee! Dat is niet waar!

Hij springt van zijn fiets, zet die op de standaard en schudt de vuilniszak leeg.

Twee doeken vallen eruit. Voor de zekerheid bekijkt hij ook de tekst op het tweede laken. Hoe durven ze!

In een impuls propt hij de lakens weer in de vuilniszak en stopt die onder zijn snelbinder. Het tasje met de bibliotheekboeken legt hij op de werkbank. Dan racet hij weg, de deur van de schuur blijft wagenwijd openstaan.

Al fietsend vist hij zijn mobieltje uit z'n broekzak en zoekt het nummer van Sven.

'Hoi Daan!'

'De meiden hebben onze spandoeken weggehaald!'

'Dat meen je niet.'

'Echt wel.'

'Hoe weet je dat de meiden het hebben gedaan?' Sven is blijkbaar nog niet overtuigd.

'Omdat de spandoeken...' Daan moet even inhouden. Felle steken schieten door zijn zij. 'Ik heb... ze zitten in een vuilniszak bij ons in de schuur.'

'Wat een smeerlappen. En nu?'

'Ik ben onderweg naar het veldje... Mét de spandoeken.'

'Goed plan.' Sven klinkt enthousiast. 'We zullen die meiden krijgen. Die moeten niet denken dat ze zich met ons werk kunnen bemoeien. We gaan ze gewoon omhooghouden. Ik ben al onderweg.'

Tevreden stopt Daan zijn mobieltje in zijn broekzak.

Bij het veldje is het een enorme drukte. Sommige mensen hebben hun auto zelfs schuin op de stoep geparkeerd. Door de bomen ziet hij voor een van de huisjes een grote groep mensen staan.

Daan herkent het huisje waar hij binnen heeft gekeken. Daar komt Nasim dus te wonen.

Hij zet zijn fiets tegen een boom en kijkt rond of hij Sven ziet.

Ja, daar komt-ie.

Daan trekt de vuilniszak vanonder de snelbinders vandaan. 'Hoi.'

'Is het al begonnen?' Sven knikt naar de drukte.

'Dat zal wel, het is tien over tien.'

'Dan moeten we opschieten.' Sven zet zijn fiets tegen die van Daan. 'Welk spandoek nemen we? Het lukt niet om ze allebei omhoog te houden.'

'Die van dat stunten.' Nu Daan al die mensen ziet is het enthousiasme om een spandoek omhoog te houden ineens een stuk minder. Zeker als hij bedenkt dat zijn vader en moeder er ook zijn. 'Waar gaan we staan?'

'We houden het spandoek gewoon omhoog en lopen richting die mensen.'

'Zeker weten?' Het huisje is versierd met slingers en ballonnen. Een stel meiden van de klas staat bij elkaar te luisteren naar de burgemeester. Vlak bij de burgemeester staan een man, een vrouw en drie kinderen.

Daan kijkt wat beter naar de drie kinderen. De grootste is een meisje, dat moet Nasim zijn. Aan allebei de kanten van haar staat een jongetje. Moeten die echt met z'n vijven in zo'n klein huisje?

'Kom op. We laten ons door de meiden niet op ons kop zitten.' Sven pakt het bovenste spandoek uit de zak. 'Ja, dit is de goeie.' Hij schudt het doek uit elkaar en pakt twee uiteinden. 'Pak beet.'

Daan pakt twee punten.

'Oké, straktrekken.' Sven doet een paar stappen opzij. 'Goed. Nu omhoog.'

Daan zorgt ervoor dat zijn gezicht voor een groot deel verborgen blijft achter het doek. Hij kan de stem van de burgemeester al horen. Nog een paar stappen, dan moet iemand ze zien.

Is het echt zo warm? Hij laat even de onderste punt los en trekt de rits van zijn jack naar beneden.

'...heten we jullie hartelijk welkom,' klinkt de stem van de burgemeester. 'Ik ben ervan overtuigd dat jullie het in ons dorp fijn zullen vinden. Dan wil ik nu graag de sleutel gaan overhandigen.'

Als Daan onder het doek doorkijkt, ziet hij dat de burgemeester iets uit zijn binnenzak pakt. Geschrokken verbergt Daan zijn gezicht weer achter het doek. De burgemeester heeft hen gezien.

'Doorlopen,' fluistert Sven.

Daan voelt zijn hart bonzen als hij verder loopt. Wat gebeurt er nu? Hij durft niet te kijken.

'Stelletje lafaards!' klinkt het ineens.

Daan moet weten wat er aan de hand is. Hij kijkt langs het doek heen en ziet dan zes, zeven meiden op hen af komen rennen. Voor hij er erg in heeft hebben ze het spandoek afgepakt en gooien dat op de grond.

Woedend zijn ze.

'Wat zijn jullie gemeen.' Sofie duwt hem achteruit. 'Wegwezen hier.

Jullie hebben hier niks te zoeken.'

'Blijf van me af.' Sven wordt kwaad omdat de meiden aan hem zitten. Hij geeft Patricia een stomp.

Dat had hij beter niet kunnen doen, want gelijk wordt hij van alle kanten beetgepakt.

'Kom mee.' Daan pakt Sven bij zijn schouder en trekt hem mee.

'Laten ze het lekker uitzoeken.'

Sven aarzelt even, maar loopt dan mee.

6

Lekker gezellig, maar niet heus!

Af en toe kijkt Daan even opzij, maar Sofie fietst met een strak gezicht naast hem. Als het zo moet fietst hij liever alleen naar school. Het hele weekend negeert ze hem al. Hij had verwacht dat ze zaterdagmorgen woedend thuis zou komen, maar dat is niet gebeurd. Vanaf dat moment heeft ze hem helemaal genegeerd.

In het begin heeft hij nog wel geprobeerd normaal te doen, maar als hij iets tegen haar zei stak ze haar neus de lucht in en liep zonder te reageren weg.

Veel liever had hij een keer flink ruziegemaakt, om het daarna weer goed te maken.

Tegen vader en moeder heeft ze zaterdag wel alles verteld. Dat iedereen de slingers en ballonnen heel feestelijk had gevonden, dat de burgemeester er zelfs een opmerking over had gemaakt, dat Nasim heel blij was geweest met het cadeautje... De meiden hebben het huis zelfs vanbinnen bekeken. Nasim, haar ouders en haar broertjes waren er heel blij mee. Volgens Nasim hadden ze eerst een huisje met kleinere kamers.

Nog kleiner! Dat kan Daan zich niet voorstellen. Waar ze nu wonen vindt hij al niet meer dan een uit de kluiten gewassen kippenhok.

Maar dat durfde hij niet te zeggen. Met een stripboek voor zich had hij gedaan alsof hij aan het lezen was.

Van zijn vader en moeder had hij zaterdagmorgen wel op z'n kop gehad toen ze thuiskwamen.

'We schaamden ons toen we zagen dat jij dat spandoek omhooghield,' had vader gezegd. 'Dat kun je niet maken. Je bent veel te ver gegaan. Eigenlijk verdien je straf! Ik heb alleen liever dat je begrijpt dat dit fout was en dat je vanaf nu stopt met je acties. Probeer je eens te verplaatsen in je nieuwe klasgenoot. Je hebt totaal geen idee wat zij allemaal heeft meegemaakt. En dan gaan jullie met een spandoek lopen! Weet je wanneer je een rund bent? Als je zo met deze mensen omgaat.'

Daan is blij als ze bij school zijn. Sofie moet niet denken dat hij vanmiddag met haar mee naar huis fietst. Zolang ze doet of hij lucht is bekijkt ze het maar.

'Ha-lo-a!' Sven en Maurice duiken naast hem op.

'Hoi.' Daan zet zijn fiets op slot en pakt zijn rugzak van de bagagedrager. 'Hebben jullie ook zo'n zin?'

Sven haalt zijn schouders op. 'Ik weet niet wat ik leuker vind. De vakantie vond ik ook niet echt joepie.'

'Dat is waar. Moet je kijken.' Daan knikt naar het plein. 'De meiden staan alweer te smoezen.'

'Ze doen hun best maar.'

'Jij hebt makkelijk praten,' zucht Daan. 'Jij hebt geen zus die Sofie heet.'

'Wat doet ze dan?' Maurice gaat op de bagagedrager van de fiets van Daan zitten.

'Sinds zaterdagmorgen heeft ze niet meer tegen me gepraat.'

'Lekker rustig. Kijk, daar komt onze nieuwe klasgenoot.'

Nasim komt met haar moeder aanlopen. Als de meiden haar zien rennen ze op haar af.

'Hoi Nasim!'

'Leuk dat je er bent!'

'Wat heb je een leuke rok aan.'

Alle meiden staan om Nasim en haar moeder heen en praten door elkaar.

'Hier word ik dus echt misselijk van.' Sven zucht. 'Wat een aanstellers.'

Maurice knikt. 'Dat overdreven gedoe met meester Rob voor de vakantie was niet leuk, maar dit vind ik nog erger.'

Omringd door de meiden lopen Nasim en haar moeder naar de deur, waar juf Antoinette al op hen staat te wachten. Even later zijn Nasim en haar moeder in de school verdwenen.

'Het valt nog mee dat de meiden niet allemaal mee naar binnen gaan,' vindt Maurice.

'Dit is...' Juf Antoinette wacht even tot het stil is, dan legt ze haar hand op de schouder van Nasim. 'Dit is Nasim, onze nieuwe klasgenoot.'

Voor het eerst kan Daan Nasim goed bekijken. Ze heeft een kaki rok en een wit T-shirt aan waar een paars vestje overheen zit. Haar lange, zwarte haar valt over haar schouders heen.

Het is best een leuke meid. Met grote, donkere ogen kijkt ze de klas rond.

'Nasim komt uit Irak,' gaat de juf verder. 'Ze woonde in een klein dorpje, ongeveer honderd kilometer ten zuiden van Bagdad. Het is in Irak helaas niet veilig voor de vader van Nasim. Daarom is hij met zijn gezin naar Nederland gevlucht. Lange tijd hebben ze in een asielzoekerscentrum in Groningen gewoond. Dat was geen leuke tijd. De mensen wonen daar in een kleine kamer en delen een keuken met de andere bewoners. Al die mensen uit verschillende landen met allemaal verschillende huidskleuren, geloven, gewoontes en leeftijden kunnen maar één ding doen: wachten. Wachten op de beslissing: mogen ze blijven of moeten ze terug naar hun eigen land?'

Nasim kijkt tijdens de uitleg van de juf met een strak gezicht naar de grond. Maakt ze alles in gedachten opnieuw mee?

'Helaas weten Nasim, haar ouders en haar broertjes nóg altijd niet of ze in Nederland mogen blijven,' gaat de juf verder. 'De onzekere afloop van de asielprocedure zorgt voor veel spanning.' Ze strikt door het haar van Nasim. 'Doordat het asielzoekerscentrum in Groningen overvol was, moest het gezin wéér verhuizen. In afwachting van een vergunning worden ze nu tijdelijk in ons dorp opgevangen. Opnieuw naar een onbekende omgeving, een nieuw huis en een andere school.'

De juf kijkt de klas rond. 'Jullie begrijpen dat ik dit niet zomaar vertel. Ik hoop dat jullie begrijpen dat al die veranderingen voor Nasim niet gemakkelijk zijn en dat jullie haar daarom zullen helpen, zodat ze zich snel thuis zal voelen in onze klas.'

Tijdens het verhaal van de juf is het muisstil. De meiden luisteren gespannen, een paar jongens schuifelen onrustig op hun stoel.

Daan voelt zich ook niet lekker. Hij heeft het idee dat de juf regelmatig naar hem kijkt. Misschien is dat ook zo. Uit zijn ooghoeken ziet hij dat Sven poppetjes tekent op zijn kladblok. Die lijkt niet echt onder de indruk van de woorden van de juf.

'Dat is dan afgesproken,' gaat de juf verder. 'Dan gaan we nu eerst beginnen. Na de bijbelles wil ik horen wat jullie in de herfstvakantie hebben gedaan.'

'Wat we níét hebben gedaan,' fluistert Sven.

Daan kijkt geschrokken op, maar de juf reageert niet.

'Oh, oh... wat is ze zielig.' Sven praat de juf na: 'Ik hoop wel dat Nasim zich snel thuis zal voelen en ik hoop dat jullie haar daarbij helpen.' Kwaad slaat hij met zijn vuist op een hekje. 'Dat wij de hele week niet hebben kunnen voetballen interesseert haar niet. Ze reageerde niet eens toen ik dat zei.'

'Ik vind het wel heftig wat Nasim allemaal heeft meegemaakt,' zegt Maurice. 'En volgens mij is het best een leuke meid.'

'Wat?' Sven wijst naar zijn voorhoofd. 'Ben je ziek of zo?' Hij doet een paar stappen vooruit en geeft Maurice een duw. 'Je bent toch geen meid. Moet je kijken.' Hij wijst naar het midden van het plein, waar Nasim wordt omringd door de andere meisjes van de klas.

'Zo... zo bedoel ik het niet. Ik vind dat... Natuurlijk vind ik het rot dat ze ons veldje hebben... hebben ingepikt,' stottert Maurice.

Niemand van de andere jongens durft tegen Sven in te gaan.

Wat Maurice zegt is waar. Nasim lijkt best aardig en tijdens het verhaal van de juf had Daan medelijden met haar. Stel je voor dat hij met z'n ouders, Sofie en Kristian uit Nederland zou moeten vluchten...

Maar Sven kijkt zo verbeten dat hij zijn mond houdt. Hij heeft geen zin in nog meer ruzie. Dat Sofie niet meer tegen hem praat is al lastig genoeg.

Hij ziet dat Nasim het naar haar zin heeft. Tussen de andere meiden in loopt ze over het plein.

Als ze vlak langs hen lopen fluistert Lotte iets, waarna heel de groep in de lach schiet.

Sven balt zijn vuisten. 'Ze lopen ons gewoon uit te dagen.'

Daar heeft Sven gelijk in. Daan ziet dat de meiden druk pratend en lachend verder lopen. Jammer dat hij niet goed kan verstaan waar ze het over hebben. 'Voetbal... jongens... lachen...'

'We moeten wraak nemen,' vindt Erik. Hij kijkt naar Sven, die knikt.

'Joh, laat ze toch,' zegt Daan. 'We moeten gewoon niet reageren. Dan gaat het vanzelf over.'

'Denk je?' Sven schudt zijn hoofd.

'Volgens mij heeft Daan gelijk.' Maurice knikt. 'Laten we kappen met over Nasim te praten en vanmiddag naar het veldje gaan. Ik wil weer eens een partijtje voetballen.'

'Er staan niet eens doelen.' Sven kijkt kwaad. 'Lekkere burgemeester. Die doet niet eens wat hij belooft.'

'Ik zorg voor een paar paaltjes,' zegt Maurice. 'Wie doen er mee?'

Aarzelend gaan er een paar vingers omhoog. Langzaam volgen er meer.

Sven haalt onverschillig zijn schouders op.

7

'Ha, meester Rob! Fijne vakantie gehad?'
Meester Rob kijkt verrast naar Lotte, als hij na de pauze het lokaal van groep acht binnenstapt. 'Ja, heerlijk! Jij ook?'
'Best wel.' Lotte knikt. Ze wijst naar Nasim. 'We hebben een nieuw meisje in de klas.'
'Dat hoorde ik van jullie juf.' Meester Rob loopt naar Nasim. 'Vanmorgen zag ik je al lopen met je moeder, maar toen durfde ik jullie niet te storen. Ik ben de meester van groep zeven, meester Rob.'
Hij geeft Nasim een hand. 'Ik heb begrepen dat je heel wat hebt meegemaakt. Hopelijk zijn je klasgenoten een beetje aardig voor je, want ik denk dat het best moeilijk is om in een ander land te wonen?'
Nasim knikt. 'We zijn blij dat we hier veilig kunnen wonen, maar ik vind het wel jammer dat ik mijn familie en vriendinnen niet meer kan zien.'
De meester knikt. 'Dat kan ik me voorstellen. Hoe vonden je vriendinnen het dat je naar Nederland ging?'
'Dat... dat weet ik niet.' Nasim fluistert bijna. 'Ik mocht er met niemand over praten dat we zouden vluchten. We zijn midden in de nacht weggegaan. Eerst met de auto, toen met de boot en daarna met het vliegtuig.'
'En constant de spanning dat jullie zouden worden opgepakt,' begrijpt de meester. 'Ik hoop dat je snel gewend bent bij ons op school. En in het dorp natuurlijk.' Hij kijkt even rond. 'Ik moet weer terug naar mijn klas, anders breken ze daar de boel af. Maar... wat kwam ik hier ook alweer doen? Oh, ja. Ik heb de woordenboeken

nodig.' Hij draait zich om naar juf Antoinette, die met een mok in haar hand binnenkomt. 'Mogen een paar kinderen de woordenboeken komen brengen, juf?'

'Alleen als ik van jou de atlassen krijg.'

Meester Rob grijpt naar zijn voorhoofd. 'Zijn alle vrouwen zo? Ze geven alleen iets weg, als ze er ook iets voor terugkrijgen.'

De meiden reageren onmiddellijk met een luid boe-geroep, waarop de jongens beginnen te juichen.

De juf laat het even gaan, maar steekt dan haar handen op. 'Zo is het wel genoeg. Erik, Maurice en Patricia, pakken jullie de woordenboeken en loop even met de meester mee. Maarre...' Ze probeert streng te kijken. 'Niet terugkomen zonder atlassen.'

'Hartelijk dank, juf.' Meester Rob maakt een zwierige buiging.

'Meester!' Lotte steekt haar vinger op.

Meester Rob draait zich in de deuropening om. 'Lotte?'

'Bent u in de vakantie nog met onze juf wezen eten?'

De meester schiet in de lach. 'Dat zouden jullie wel willen weten, hè?' Hij kijkt naar de juf. 'Hebben ze jou ook al uitgehoord?'

'Nee, nog niet. Ik dacht vanmorgen al dat ze het waren vergeten.'

Daan grinnikt als hij terugdenkt aan de gekke telefoontjes waarmee ze de juf en de meester aan elkaar probeerden te koppelen. Dat was niet gelukt, maar de meester had voor de herfstvakantie een opmerking gemaakt waardoor ze het idee kregen dat het etentje er toch zou komen.

'Ah juf, meester...' Lotte is op haar bank gaan zitten. Ze houdt haar hoofd een beetje scheef en kijkt smekend. 'Vertellen. We zijn zó nieuwsgierig.'

De meeste kinderen klappen in hun handen en knikken.

'Ik zeg niks.' Meester Rob kijkt vastberaden de klas rond. 'En jij?'

Verbeeldt Daan het zich, of wordt de juf echt rood? Hij gaat ook op zijn bank zitten. Het is wel grappig hoe de juf en de meester reageren. 'U kunt toch wel vertellen of u samen bent wezen eten.

45

We hoeven niet te weten wát u hebt gegeten.'

'Nee.' De juf schudt haar hoofd. 'Kleine kinderen mogen wel alles eten...' Ze kijkt naar meester Rob. Dan roepen ze samen: 'Maar niet alles weten.'

Onder een luid boe-geroep rent meester Rob lachend de klas uit.

'Echt flauw,' vindt Lotte. 'U hoeft alleen maar ja of nee te zeggen, meer niet.'

'U mag ook knikken of schudden,' roept Sven.

'Van mij hoor je niks!' De juf pakt de kruk die altijd voor het bord staat en gaat zitten. 'Misschien dat jullie... Nee, ik heb iets anders. Hebben jullie al een idee wat we met de driehonderd euro kunnen gaan doen die we met onze kar hebben gewonnen?'

'Ze begint gewoon over iets anders,' fluistert Sven.

Daan knikt. 'Slim gedaan.'

'Kunnen we geen dag met z'n allen naar een pretpark,' stelt Patricia voor.

'Nee! Daar is niks aan.' Sven steekt zijn vinger omhoog. 'Laten we proberen er meer geld van te maken. We kopen bijvoorbeeld voor driehonderd euro chocolade en die verkopen we voor zeshonderd euro.'

'Hè bah!' Sofie steekt haar tong uit. 'Geen acties. Daar heb ik geen zin in. We kunnen het geld ook aan een goed doel geven, of aan iemand die het goed kan gebruiken.' Ze kijkt naar Nasim.

'Weggeven?' Sven springt op. 'Doe normaal. Wij hebben driehonderd euro gewonnen, dan ga je dat toch niet weggeven!'

'Waarom niet?' valt Lotte haar vriendin bij. 'Ik vind het best een leuk idee. We kunnen het aan de asielzoekers geven. Die kunnen het vast goed gebruiken.'

'Laten we er dan doelen voor kopen om in het park neer te zetten!' roept Sven. 'Door die asielzoekers zijn wij ons veldje kwijt.'

Daan kijkt naar Nasim, die naar de grond staart. Wat zou ze nu denken?

'Afgelopen!' Juf Antoinette kijkt kwaad naar Sven. 'Wat een belachelijke opmerking. Denk eens na voordat je zoiets zegt.' Ze kijkt naar Nasim. 'Hoe moet onze nieuwe klasgenoot zich nu voelen?'

Sven haalt onverschillig zijn schouders op en gaat weer zitten.

'Ik stel het volgende voor.' Als de juf zo praat dan weet de hele klas dat je haar nu niet moet tegenspreken. 'Ik zet morgen een of ander blik op mijn bureau. Iedereen die een leuk idee heeft, schrijft dat op een blaadje en stopt het erin. We spreken af dat we onze naam niet op de briefjes schrijven. Het gaat om het beste idee en niet om wie het heeft bedacht. Afgesproken? Daan.'

'En als je een paar ideeën hebt?'

'Je mag zoveel ideeën opschrijven als je maar wilt. Volgende week vrijdag maak ik het blik open en lees ik alle briefjes voor.'

'Gaan we dan stemmen?' wil Sofie weten.

'Dat zien we dan wel weer. Misschien zit er zo'n geweldig idee bij, dat iedereen gelijk enthousiast is.'

'Volgens mij zijn de juf en de meester wel samen wezen eten.' Sven stopt zijn rugzak onder de bagagedrager en knikt naar Daan. 'Waarom doen ze anders zo geheimzinnig?'

'Om ons te pesten.' Daan kijkt om naar Sofie, maar die heeft geen aandacht voor hem. Ze staat op het plein te praten met een groepje meiden. Natuurlijk is Nasim er ook bij. Sofie bekijkt het maar. Straks merkt ze vanzelf dat hij weg is.

'Dat geloof ik niet,' zegt Sven, terwijl hij zijn fiets uit het rek pakt. 'Als ze niet zijn wezen eten hadden ze dat gewoon gezegd. Volgens mij hebben ze iets met elkaar en doen ze daarom zo geheimzinnig.'

'De juf werd vanmiddag wel een beetje rood toen meester Rob in de klas was,' grinnikt Daan. 'Denk jij echt dat ze verkering hebben?'

'Waarom niet? Waarom kunnen een juf en een meester van dezelfde school niet verliefd op elkaar worden?'

'Op wie ben jij verliefd?' Maurice, die samen met Erik aan komt lopen, stoot Sven aan.

'Ik niet. De juf en de meester. Dat denken wij tenminste.'

Maurice knikt. 'Daar heb ik ook al aan gedacht.'

'Weet je...' Sven hangt over het stuur van zijn fiets heen en fluistert. 'We moeten ze schaduwen. Dan komen we er vanzelf achter.'

'Ja, gaaf! Schaduwen!'

Daan stoot Maurice aan. 'Stil man, de meiden hoeven ons niet te horen.' Dan draait hij zich naar Sven. 'Hoe wil je dat eigenlijk gaan doen?'

'Weet ik veel,' grinnikt Sven. 'Het was zomaar een gedachte.'

'Maar wel een goeie.' Maurice praat nu ook zachtjes. 'Laten we hier wachten tot ze naar buiten komen.'

'En dan?' Daan haalt zijn schouders op. 'Dan stappen ze allebei in de...' Hij kijkt even naar de parkeerplaats voor de school. 'Dan stappen ze in de auto en rijden ze weg. Wat schiet je daar nou mee op?'

'Misschien veel... misschien niks.' Maurice is onverstoorbaar. 'We verstoppen ons in de struiken achter de parkeerplaats. Als ze apart naar buiten komen weten we nog niks, maar als ze samen naar huis gaan moeten we opletten hoe ze afscheid nemen van elkaar. Zeggen ze alleen maar "doei, tot morgen", dan is er niks aan de hand. Maar het kan ook dat ze iets aardigs zeggen of elkaar een zoen geven.'

'Dan is het bingo!' knikt Sven.

'Dit is toch geen schaduwen!' vindt Daan. 'Het lijkt meer op verstoppertje spelen.'

'Maar wel leuk!' Maurice wrijft in zijn handen. 'Hoe laat?'

'Volgens mij gaan ze meestal om ongeveer half vijf naar huis.' Sven kijkt op zijn horloge. 'We spreken af dat we om kwart over vier bij de bushalte op elkaar wachten.'

'Goed plan!' Daan stapt op zijn fiets. 'Dan ga ik even m'n tas thuisbrengen.'

'Waar blijven ze nou?' zegt Sven. 'Het is al kwart voor vijf.'

'Nog vijf minuten, dan ga ik naar huis.' Maurice strekt zijn rug.

'Jij wilde toch zo graag schaduwen,' lacht Daan. 'We zijn amper begonnen en nou ben je het alweer zat. Laten we nog even volhouden, het kan nooit lang meer duren.'

Hij laat zich op de grond zakken en gaat met zijn rug tegen een boom zitten. Door de struiken heen kan hij precies het plein zien.

'Goed idee.' Sven volgt zijn voorbeeld.

Weer gaan er vijf minuten voorbij, die veel langer lijken te duren.

Dan horen de jongens gepraat.

'Daar zijn ze,' fluistert Sven.

Ze gaan alle vier op hun hurken zitten en turen gespannen naar het plein.

'Raak!' Daan pakt een tak en trekt die een eindje naar beneden, zodat hij een beter zicht op het plein heeft.

Meester Rob maakt drukke gebaren. Het is blijkbaar nogal leuk wat hij vertelt, want de juf schaterlacht.

Nu opletten, ze zijn bijna bij hun auto's.

'Ik bel je vanavond nog wel,' horen ze de meester zeggen.

Sven stoot Daan aan en knikt veelbetekenend.

'Na negen uur,' zegt de juf. 'Ik ga eerst een rondje skaten.' Ze klikt met de afstandsbediening haar auto open en legt haar tas op de achterbank.

De meester legt zijn hand op haar schouder. 'Tot straks.'

'Doei!' De juf lacht even en stapt dan in haar auto. Voor ze wegrijdt zwaait ze nog even naar de meester, die intussen is ingestapt.

'Nu weten we nog niks.' Erik kijkt de auto van de meester na.

'Vond jij het dan normaal hoe ze deden? De meester legde zijn hand op haar schouder en waarom moet hij haar vanavond bellen?' Sven is overtuigd. 'Zo doen collega's niet met elkaar.'

'Ik weet het niet.' Daan twijfelt. Het is duidelijk dat de juf en de meester het samen goed kunnen vinden, maar om daaruit af te leiden dat ze verliefd op elkaar zijn vindt hij te ver gaan.

8

'Eigenlijk valt ze best mee.'

Daan en Sven fietsen samen naar het park. Een paar dagen geleden zijn eindelijk de doelen verplaatst. Ze hebben met de jongens van de klas afgesproken te gaan trainen voor het schoolvoetbaltoernooi dat in het voorjaar wordt gehouden.

Sven kijkt opzij. 'Wat zei je?'

'Dat ze best meevalt.'

'Wie?'

'Nasim.'

'Vind je?' Sven trekt een vermoeid gezicht. 'Zonder haar hadden we hier niet gefietst.'

'Dat is onzin.' Daan schudt zijn hoofd. 'Als Nasim hier niet was komen wonen, waren het wel andere mensen geweest. Ze spreekt trouwens best goed Nederlands, vind je niet?'

'Terecht. Buitenlanders moeten zich aanpassen aan ons, wij niet aan hen.'

'Toch vind ik het knap,' houdt Daan vol. 'Nederlands is best een lastige taal om te leren.'

'Doe niet zo overdreven. Wil je soms verkering met haar? Weet Lotte dat al?'

'Doe normaal. Als ik zeg dat Nasim best meevalt wil ik niet gelijk verkering met haar.' Daan kijkt even naar Sven. Hij is de enige in de klas die Nasim echt negeert. Verder is het de laatste dagen zoals het voor de herfstvakantie was. Ook Sofie doet gelukkig weer normaal.

'Waarom ben je dan ineens veranderd? Eerst was je nog hartstikke fanatiek om die asielzoekers weg te krijgen. Je hebt nog geholpen met die spandoeken.'

'Omdat... Het is gewoon superrot wat Nasim en al die andere mensen hebben meegemaakt.'

'Medelijden dus, je vindt het zielig.' Sven kijkt hem met een minachtende blik aan.

'Wat jij wilt.' Daan haalt zijn schouders op. Als Sven in zo'n bui is valt er niet met hem te praten. Daarom begint hij maar over iets anders. 'Ik heb een idee.'

'Wat dan?' Sven kijkt koppig voor zich uit.

'Kunnen we niet een grap met de juf uithalen?'

'Eén april duurt nog bijna een half jaar,' mompelt Sven. 'Wat ben je eigenlijk van plan?'

Daan grinnikt. Sven is toch nieuwsgierig. 'Ik heb pas een leuke grap op YouTube gezien. Daar hadden ze een school die bestond uit twee gebouwen die tegenover elkaar stonden. Tussen die gebouwen liep een drukke straat. In de middagpauze hebben ze alle leerlingen opgetrommeld en die zijn in een lange rij gaan oversteken. Maar toen na een paar minuten iedereen eindelijk was overgestoken, ging de hele boel weer terug. Dat duurde zo bijna een kwartier. Geweldig! Een rij auto's... Niet normaal meer.'

'Geinig,' vindt Sven. 'Maar hoe wil je dat bij ons doen?'

'Ik zat op internet te zoeken en toen kwam ik dat filmpje tegen. Dit gaat bij ons niet, dat snap ik ook wel. Maar het was wel grappig.'

De jongens zijn bij het park gekomen en zetten hun fiets in een van de rekken. Daan haalt de bal uit het plastic tasje en gooit die op het gras. 'Maar ik heb wel een ander idee.'

'Vertel.' Sven gaat op het gras zitten om zijn voetbalschoenen aan te trekken.

'Het lijkt me leuk om de juf en meester Rob ergens naartoe te lokken en dan zijn wij daar toevallig ook met de hele klas.'

'Daar trappen ze nooit in.' Sven trekt een veter vast en legt er een dubbele knoop in. 'Die zijn sinds wij ze hebben gebeld hartstikke argwanend.'

'Dat weet ik niet.' Daan gaat op de bal zitten. 'We moeten het alleen slim aanpakken. Als ze een officiële uitnodiging krijgen komen ze echt wel. Weet je... mijn broer heeft vorig jaar ook zoiets gedaan met een lerares. Die hadden briefpapier van een bedrijf gebruikt, zo leek het helemaal echt.'

'Dat is wel gaaf.' Sven trekt de pijpen van zijn trainingsbroek naar beneden en gaat staan. 'Maar aan wat voor bedrijf denk jij dan?'

'Een pizzeria of zo.'

'Die zullen blij zijn als wij ineens met de hele klas binnen komen stormen.' Sven schiet in de lach. 'Die hele tent staat gelijk op z'n kop. Trouwens... wie gaat dan de pizza's van de juf en de meester betalen?'

Dat is een goeie! Daar heeft hij nog niet over nagedacht. 'Dan is een pizzeria misschien niet zo'n goed idee.'

'Nodig ze uit bij snackbar Marktzicht,' lacht Sven. 'Kijk, daar komt de rest.'

Een groep jongens komt met een hoop kabaal aanfietsen.

'Citroen, citroen, De Fontein wordt kampioen!' roept Erik.

'Dat zal niet meevallen.' Maurice schudt zijn hoofd. 'Op de Willem Drie zitten een paar jongens die in de selectie zitten.'

'Leuk voor ze.' Erik geeft een trap tegen de bal. 'Laten ze maar komen. Knoop het in je oren, De Fontein gaat nooit verloren.'

'Hé, daar komt meester Rob!'

Een auto parkeert vlak bij hen. Als meester Rob uitstapt, wordt er geklapt.

'Wat gaaf!'

'Mooi trainingspak, mees!'

Meester Rob maakt lachend een buiging. 'Is het goed als ik mee-doe?'

'Juist leuk.' Daan knikt naar de meester. 'Gaat u ons echt trainen?'

'Ik kan het allicht proberen.' De meester gooit het portier achter zich dicht en klikt de auto op slot. 'Ik ben alleen bang dat ik niet zo'n goeie conditie heb als jullie.'

'Veel bewegen en gezond eten!' roept Sven. 'Dat zegt mijn trainer altijd.'

'Dat bewegen valt niet mee.' De meester trekt een bedenkelijk gezicht. 'Eigenlijk zou ik met de fiets naar school moeten komen, maar ja... de auto is zo makkelijk.'

'Maar u eet toch wel gezond?'

'Zeker.' De meester knikt naar Daan. 'Gisteren ben ik nog bij Mc-Donald's geweest.'

Een paar jongens klappen.

'Toch niet met onze juf?' wil Sven weten.

'Eh... dat gaat jullie niks aan. Kom op, we gaan beginnen. Eerst een rondje rond het veld om warm te worden.' Gelijk rent de meester weg.

Dat kan dus niet missen. Gisteren zijn meester Rob en juf Antoinette bij McDonald's geweest. Terwijl Daan achteraan de rij loopt denkt hij na. Is er met McDonald's geen grap te bedenken?

Snel kijken of Sven online is. Daan schuift de stoel naar achteren en ploft neer.

Ja dus! Die gozer zit waarschijnlijk met zijn eten op schoot achter de computer, bang dat hij iets mist.

Daan heeft een hekel aan huiswerk zegt:
Haloa! Kheb een GEWELDIG plan!

Bijna gelijk komt er een reactie van Sven.

Sven wil SVK worden zegt:
Vertelle!!!

SVK? Wat is dat nou weer? Verbaasd staart Daan naar de nieuwe MSN-naam van zijn vriend.

Daan heeft een hekel aan huiswerk zegt:
Watis SVK nou wer?
Sven wil SVK worden zegt:
Denk ff na! Schoolvoetbalkampioen natuurlijk. Mar wat-vor geweldig plan hebbie?

Daan schuift zijn stoel een beetje dichter bij de computer.

Daan heeft een hekel aan huiswerk zegt:
Kben vanmiddag bij de Mac geweest. Ik ken een gozer die daar werkt. Gistre zijn de mees en juf dr gewest. De chef van de Mac wil voor een brief zorge waarin staat dat de juf en meester de 10.000 klant ware en dat ze daarom int zonnetje worde gezet. LACHE TOCH? De chef vindt het wel een gave grap, darom hoeve we nix te betale.

Sven wil SVK worden zegt:
TOPPIE!!! En moge wij ook allemaal kome?

Daan heeft een hekel aan huiswerk zegt:
Yep! We worde ff in een hokkie verstopt! Als ze zitte te ete komen wij ineens binne. Ik zie het hoofd van de juf en mees al voor me. Lijkt me lache!

Terwijl Daan op de reactie van Sven wacht, ziet hij het al voor zich. De juf en meester die nietsvermoedend zitten te eten. En dan ineens komt de hele klas binnen. Die geloven hun ogen niet. Daar is de reactie van Sven alweer.

Sven wil SVK worden zegt:
Wanneer krijg je de brief?

Daan heeft een hekel aan huiswerk zegt:
Die kan ik vrijdagmiddag na schooltijd ophale.

Sven wil SVK worden zegt:
Dat wordt lache!!! Vertel jij het tege de klas? Maar ieder-een moet wel zn mond houde.

Daan heeft een hekel aan huiswerk zegt:
Afgesproke! Doei!

Gelijk klikt Daan zijn mail open en kiest voor 'nieuw bericht'.

Aan: groep 8
Van: dvds@hotmail.com
Tijdstip: woensdag 4 november 2009; 18.55 uur
Onderwerp: GRAP

Heejj allemaal,

Sven en ik hebben (hopelijk) een goeie grap bedacht met onze juf en meester Rob!
Gisteren zijn de juf en de meester bij de Mac wezen eten. Gezellig... ♥.♥.♥.
Met de chef van de Mac hebben we geregeld dat de juf een brief krijgt, waarin staat dat ze de 10.000e gast was en dat ze daarom een bloemetje en een cadeautje krijgt aangeboden.
Daarvoor moet ze op woensdagmiddag 11 november om 13.30 uur naar McDonald's komen, samen met de man die

er toen ook bij was.

Maar.... Wat ze niet weten is dat wij er ook zijn!

Wij houden ons verstopt, maar natuurlijk komen wij

toevallig binnen als ze zitten te eten.

Het kost ons niks, want de chef van de Mac vindt het

een goeie grap!

LET OP: je mag er met NIEMAND over praten!

OOK NIET OP SCHOOL!!!

Doei!

Daan

'Hoi!' Sofie komt met een stapel blaadjes in haar hand binnen.
'Mag ik zo even op de computer?'

'Best!' Daan schuift zijn stoel naar achteren. 'Lees even.'

'Dat gebeurt ook niet vaak dat ik een mail van jou mag lezen.' Sofie
buigt zich naar het scherm. 'Dan is-tie vast niet voor Lotte.' Haar
ogen vliegen over de regels. 'Wat leuk! Dat wordt lachen! Ik zie het
gezicht van de juf al voor me!'

'Wat denk je van meester Rob!' Daan grinnikt. 'Die kijkt echt niet
blij!'

'Nasim heeft geen computer,' zegt Sofie. 'Heb je daar erg in?'

'Dat is waar.' Daan denkt na. 'Hoe moet dat?'

'Ik fiets er vanavond wel even langs, oké?'

'Top.' Daan klikt op verzenden. 'Jij mag.' Hij rekt zich uit. 'Ik ga de
rep van geschiedenis leren. Heb jij die al geleerd?'

'Tuurlijk, die is voor morgen. Moet jij nog beginnen?'

Daan knikt. 'Ik heb er nog geen bal aan gedaan.'

9

'Het wordt tijd om de ideeënbus te legen, vinden jullie niet?' De juf pakt het blik en schudt het heen en weer. 'Volgens mij is-tie goed gevuld. Heeft iemand nog een idee dat hij niet heeft ingeleverd?' Ze kijkt de klas rond. 'Niet? Dan maken we het blik nú open.' Ze zet het op tafel en gaat zitten. Uit haar bureaula pakt ze een schaar en probeert met een punt het plakband door te snijden.

'Steek niet in je vingers, juf!' roept Sven.

'Nee, want dan zijn we die driehonderd piek gelijk kwijt aan ziekenhuiskosten,' lacht Daan.

'Jullie hebben groot vertrouwen in mij, dat hoor ik wel.' De juf kijkt niet op. Ze legt de schaar neer en punnikt met haar nagel aan het plakband. 'Volgens mij heb ik 'm iets te goed dichtgeplakt. Ja... hebbes!' Voorzichtig trekt ze aan een eindje plakband.

'Gelukt!' Met een triomfantelijk gezicht houdt ze het deksel omhoog. Dan kijkt ze in het blik. 'Zo-o. Dat is niet mis.' Boven haar bureau keert ze het blik om. Blaadjes in allerlei kleuren vallen eruit.

'Eerst even tellen.' De juf pakt de blaadjes en telt hardop: 'Een, twee, drie, vier... negen, tien... dertien, veertien, vijftien. Dat had ik niet verwacht. Vijftien ideeën.'

'Dat is dan twintig euro per idee!' roept Maurice.

'Dat kan natuurlijk ook,' lacht de juf. 'Als alle vijftien ideeën voor hoogstens twintig euro zijn uit te voeren, vind ik het een uitstekend plan. Maar...' De juf schudt haar hoofd. 'Dat denk ik niet.' Ze stopt de blaadjes terug in het blik. 'De vraag is alleen hoe we met al die ideeen omgaan?' Ze denkt even na. 'Ja... dat is misschien geen gek idee. Ik lees nu voor wat er op alle blaadjes staat en volgende week praten we er verder over. We hebben dan in het weekend de tijd om erover na te denken. In een half uur kiezen tussen vijftien plannen gaat toch niet lukken. Oké?' Ze pakt een blaadje. 'Zullen we beginnen?'

'Heeft u ook meegedaan?'

De juf knikt, terwijl ze het eerste blaadje openvouwt. 'En nu willen jullie natuurlijk gelijk weten welk idee van mij is, maar dat zeg ik niet. Wie welk idee heeft ingeleverd houden we geheim tot we een keus hebben gemaakt. Dat lijkt me eerlijker. Ook spreken we af dat niemand commentaar geeft als ik de blaadjes voorlees.'

Dat is wel slim van de juf. Daan stelt zich voor wat er gebeurt als Sven een bepaald idee niet goed vindt.

'Nummer een.' De juf wacht even tot het stil is. 'Het geld schenken aan een goed doel, bijvoorbeeld aan het Rode Kruis.'

'Dat vind ik...'

'Nee!' Streng kijkt de juf naar Sven. 'Denk aan de afspraak. Géén commentaar.' Ze pakt een krijtje. 'Ik zal in steekwoorden de ideeën op het bord schrijven.'

Even later pakt ze een tweede blaadje: 'Spelletjes kopen voor een kinderziekenhuis... Nummer drie: Een klassenavond organiseren... De volgende: Iets leuks organiseren voor de asielzoekers...'

'Belachelijk!' Kwaad springt Sven op. 'Dat is...'

'Dit is de laatste waarschuwing.' Met uitgestoken vinger doet de juf een paar stappen in Svens richting. 'Als je nog één keer commentaar geeft kun je vertrekken. Dan wacht je maar in de gang tot we klaar zijn.'

Daan ziet dat Sofie naar Nasim is gelopen en een arm om haar schouder legt. Bijna alle meiden kijken woedend naar Sven.

Sven gaat met een kwaad gezicht weer zitten.

Waarom houdt die gozer zijn mond niet? denkt Daan. Op deze manier verziekt hij de sfeer in de klas.

De juf negeert Sven verder en pakt een blaadje uit het blik. 'Een keer gaan karten met de klas.'

Als om kwart over drie de bel gaat, staan alle vijftien ideeën op het bord:

1. Rode kruis
2. Spelletjes kinderziekenhuis
3. Klassenavond
4. Iets voor asielzoekers
5. Karten met de klas
6. De Efteling
7. Speeltoestel op het plein
8. Etentje juf en meester
9. Wokken met de klas
10. Voetbalveldje op het plein
11. Tropisch zwembad
12. Wereld Natuur Fonds
13. Duinrell
14. Boeken klassenbieb
15. Nasim en familie

'Wat ben jij gemeen!'

'Egoïst!'

'Het is toch belachelijk dat jij alleen maar aan je voetbalveldje denkt!'

Om kwart over drie staat een grote groep meiden in de gang om Sven heen. Woedend zijn ze.

Sven hangt onverschillig tegen de kapstok.

'Hoe denk je dat Nasim zich nu voelt?' Sofies ogen schieten vuur.

'Ja!' Lotte doet een stap naar voren. 'Jij kunt alleen maar aan jezelf denken.'

'Moet ik nou bang worden?' Met een treiterend lachje kijkt Sven de kring rond. Hij pakt zijn jas van de kapstok en doet die aan. 'Hebben jullie niks meer te zeggen? Dan ga ik.' Tussen de meiden door loopt hij de gang uit.

'Nou ja!'

'Sukkel!'

Hevig verontwaardigd rent de hele groep naar juf Antoinette.

Als Daan langs het lokaal loopt, staan alle meiden om het bureau van de juf. Hij hoort de stem van Sofie boven alles uitkomen.

Hij is nieuwsgierig naar de reactie van de juf. Toch loopt hij naar buiten. Stel je voor dat een van de meiden hem betrapt!

'Dit slaat echt helemaal nergens op.' Kwaad trapt Sven tegen het achterwiel van zijn eigen fiets. 'Wedden dat het geld naar die asielzoekers gaat! Oh, wat is Nasim zielig! Maar niet heus! Die lui krijgen hier alles wat ze willen en ze hoeven er geen cent voor te betalen. En wat gaan wij doen? De driehonderd piek die we zelf verdiend hebben óók nog eens aan hun geven. Logisch toch dat die lui nooit meer terug willen naar hun eigen land. Ik kan het me voorstellen. Het is hier net Luilekkerland.'

'Je overdrijft.' Daan schudt zijn hoofd. 'Alsof het van die geweldige huizen zijn waar ze in wonen. En weet jij eigenlijk wel wat ze hebben meegemaakt? Zou jij met hen willen ruilen?'

Sven haalt met een onverschillig gezicht zijn schouders op en bromt: 'Ik zou niet weten waarom niet.'

Daan wijst naar zijn voorhoofd. 'Denk na, man. Op de vlucht, elke keer ergens anders wonen, leven van wat je van een ander krijgt... Het lijkt mij verschrikkelijk.'

'Jij bent ook gehersenspoeld.' Sven springt op zijn fiets en rijdt met een kwaad gezicht weg.

'Nou ja...' Maurice schudt zijn hoofd en kijkt Sven verbaasd na. 'Van mij hoeft het geld ook niet naar de asielzoekers, maar zoals hij over die mensen praat is niet normaal.'

Daan kijkt zijn vriend ook na en pakt zuchtend zijn fiets. 'Dan ga ik wel alleen.'

'Wat ga je doen?'

'Naar McDonald's.'

'Voor die grap?'

'Ja, ik kan vandaag de brief ophalen.'

'Om naar de juf te sturen,' begrijpt Maurice. 'Ik vind het wel een gave grap.'

'Ik ook, maar ik weet niet of die nu nog wel doorgaat?' Voor Daan is de lol er vanaf. Zo kent hij zijn vriend niet. Sven kan soms best overdreven reageren, maar zoals hij nu doet... Nee, dat heeft hij nog niet eerder meegemaakt. Komt dat echt alleen doordat ze hun voetbalveldje kwijt zijn?

'Zal ik met je meefietsen?' Maurice kijkt even opzij. 'Ik heb toch niks te doen. Of wil je niet meer gaan?'

Daan haalt zijn schouders op.

'Natuurlijk moet je gaan. Sven doet vanavond weer normaal, zeker weten.'

'Oké dan. We gaan in ieder geval de brief ophalen. We kunnen later altijd nog tegen die man zeggen dat het niet doorgaat.'

10

'Welkom!' Ik ben René van der Pol.' Een man van een jaar of dertig geeft hen een hand. 'Wat drinken, jongens? Cola, sprite, fanta...' Hij pakt twee kartonnen bekers.

'Ik graag cola,' zegt Maurice.

'En ik sprite.' Daan knoopt zijn jas los en kijkt rond. Het maakt niet uit op welke tijd je hier binnenstapt, altijd zitten er mensen patat te eten.

'Doen we.' René tapt twee bekers vol en zet ze voor de jongens neer, dan wijst hij naar een tafeltje bij het raam. 'Ga zitten, dan pak ik de brief even.'

Met hun beker lopen de jongens naar het aangewezen tafeltje.

'Aardige man.' Maurice prikt een rietje door de opening in het plastic deksel.

Daan kijkt afwezig naar buiten. Een klein ventje probeert tegen de glijbaan op te klimmen. Als hij bijna boven is, probeert hij met z'n rechterhand houvast te vinden. De toppen van zijn vingers raken het handvat, dan glijdt hij naar beneden. Gillend van pret probeert hij het opnieuw.

'Zo.' René komt bij hen zitten. 'Ik hoop dat jullie tevreden zijn.' Hij haalt de brief uit de envelop en vouwt die open. 'Het lastige is: hoe weten wij dat juist jullie juf en meester de tienduizendste klant waren? Normaal gesproken worden dit soort klanten opgewacht en krijgen ze gelijk een attentie.' Hij kijkt de jongens aan. 'Ik weet niet of jullie daar al aan hebben gedacht.'

Maurice kijkt naar Daan.

Die schudt zijn hoofd. 'Eigenlijk niet.' De man heeft gelijk. Niet zo lang geleden stond er in de *Nieuwsflits* een foto en artikel over de honderdduizendste bezoeker van het zwembad. Die man stapte nietsvermoedend het zwembad in en werd daar opgewacht door de directeur van het zwembad.

'Dus...' Daan kijkt de man aan. 'Het plan gaat niet door.'

'Wat mij betreft wel.' De man geeft de brief aan Daan. 'Lees maar.'

Nieuwsgierig pakt Daan de brief en legt die tussen Maurice en hem in op het tafeltje. Dan leest hij:

Geachte mevrouw,

Hartelijk gefeliciteerd!

U vraagt waarmee? Dat zullen we u uitleggen.
Zoals u misschien weet is onze McDonald's een paar maanden geleden helemaal verbouwd. Vanaf dat moment houden wij de bezoekersaantallen bij. En wat blijkt? Op dinsdag 3 november ontvingen wij de 10.000ste klant.
En die klant was u!
Helaas was op dat moment de rayonmanager van McDonald's niet aanwezig. Hij stond in de file.
Een oud-leerling, die bij ons in de keuken werkt, herkende u en daarom hebben wij op dat moment besloten de huldiging uit te stellen.

Wij nodigen u uit om woensdagmiddag 11 november om 13.30 uur naar onze vestiging te komen, waar wij u in de bloemetjes zullen zetten. Omdat u op die dinsdag in het gezelschap van een man was, verzoeken wij u om hem ook uit te nodigen.
Wanneer u niet in de gelegenheid bent om te komen, kunt u ons dit laten weten op onderstaand telefoonnummer.
Hopend dat wij u op 11 november kunnen ontmoeten,

Met vriendelijke groet,

René van der Pol
Filiaalchef McDonald's

'Echt goed,' vindt Maurice.

Daan knikt. 'Zo hebben de juf en de meester niks door.'

René lacht. 'Dat hoop ik. Want hoe het was gegaan als wij toevallig... ahum... geen oud-leerling hier hadden gehad weet ik ook niet. Maar hopelijk denken de juf en de meester daar niet aan.' De man pakt de brief en stopt die terug in de envelop. 'Alsjeblieft.' Hij geeft de envelop aan Daan. 'Let wel op dat je het adres niet zelf op de envelop schrijft. Stel je voor dat de juf jullie handschrift herkent...'

'Dit is helemaal echt.' Maurice lacht tevreden. 'Zeker weten dat de juf er in trapt.'

'En meester Rob? Die is wel argwanend geworden door onze telefoongrap.'

'Meester Rob laat de juf echt niet alleen gaan.' Maurice schudt zijn hoofd. 'En de brief ziet er geweldig uit. Als Sven het maar niet verknalt.'

'Ik denk dat hij wel op MSN is,' zegt Daan. 'Ga je even mee naar mijn huis?'

'Mij best.'

Met een glas dubbelfris en een koek lopen Daan en Maurice naar boven.

Daan duwt met zijn voet de deur open en zet zijn glas op tafel. Snel schuift hij een stoel achter het bureau en ploft neer. 'Even kijken.' Hij klikt een paar keer en knikt dan. 'Hij is online.'

Maurice pakt een kruk en schuift die naast Daan. 'Zou hij met je willen praten?'

'Dat zien we gauw genoeg.'

Daan heeft een hekel aan huiswerk zegt:
Haloa!

Gespannen kijken de jongens naar het scherm. Al snel komt er een reactie.

Sven wil SVK worden zegt:
Heejj.

'Het is in ieder geval wat,' vindt Maurice.
Daan reageert niet. Hij is opgelucht dat Sven reageert en typt snel verder.

Daan heeft een hekel aan huiswerk zegt:
Benj ng kwaad?

Sven wil SVK worden zegt:
Niet op jou. Benj ng bij de mac geweest?

'Hij was het dus niet vergeten,' zegt Daan verrast. 'Waarom rijdt die gozer dan met een kwaaie kop bij school weg?'
'Vraag het hem.'

Daan heeft een hekel aan huiswerk zegt:
Ja. We hebbe een supergave brief. Mar war wasj nou van-midag?

Sven wil SVK worden zegt:
kKom ff nar je toe. Oke?

Daan haalt zijn schouders op. 'Snap jij het nog? Eerst fietst hij kwaad weg en nou wil hij ineens weer langskomen. Ik zal...'
'Wat is er?'
Daan wijst naar het scherm. 'Hij heeft al afgesloten.'
'Dan is hij over een paar minuten hier.' Maurice kijkt op zijn hor-

loge. 'Zullen wij nu ineens wegfietsen?'

'Doe maar niet.' Daan hoopt dat het weer goed komt met Sven. Maurice is een aardige gozer, maar met Sven is hij vanaf groep een al bevriend. Daar mag door dat gedoe met dat voetbalveldje en Nasim geen eind aan komen. Hij staat op en loopt naar de deur. 'Ik pak even dubbelfris en een glas voor Sven.'

'Hoi!' Sven stapt een paar minuten later de kamer van Daan in. 'Ook wat drinken?' Gelijk schenkt Daan het derde glas vol en schuift een koek naar Sven. 'Ik dacht dat je kwaad was?'

'Was ik ook.' Sven pakt het glas en drinkt het in een paar slokken leeg. 'Maar niet op jullie.' Hij zet het glas terug op het bureau en haalt het papier van de koek af. Dat frommelt hij in elkaar tot een prop en gooit het van een afstand in de prullenbak.

'Daar leek het anders wel op,' vindt Daan.

Sven schudt zijn hoofd.

'Nasim?' Maurice draait met zijn vinger rondjes over de rand van het lege limonadeglas. 'Nasim en het voetbalveldje.'

'Nee...' Sven aarzelt even. 'Tenminste... nou ja... wel een beetje natuurlijk. Ik baal er nog altijd van dat ons veldje is ingepikt, maar Nasim is eigenlijk best een aardige meid.'

'Je meent het.' Daan kijkt met grote ogen naar zijn vriend. 'Wat is er met jou gebeurd sinds vanmiddag?'

'Niks bijzonders.' Sven haalt zijn schouders op.

'Maar vanmiddag vloog je nog in de fik. Je was echt megakwaad. Hoe noemde je ons land ook al weer? Oh ja, Luilekkerland.' Daan schudt zijn hoofd. 'Ik heb de meiden nog nooit zo kwaad gezien als toen je dat zei.'

'Dat was niet echt handig.' Sven grinnikt. 'De meiden werden echt link. Maar het is toch zo dat die gasten alles kunnen krijgen wat ze willen? Dat zegt mijn vader ook.'

'Volgens mij overdrijft je vader. Maar...' Daan wil nu eindelijk wel eens weten waarom Sven niet kwaad meer is. 'Nou weten we nog niet wat er na schooltijd is gebeurd.'

Sven wrijft even door zijn haar. 'Ik kwam vanmiddag thuis en toen vertelde mijn moeder dat m'n tante een adoptiekindje krijgt uit Colombia. M'n moeder had al een paar foto's op de computer.' Hij knikt. 'Echt een gaaf mannetje. Van die zwarte krullen en hele donkere ogen. Over een paar weken gaan ze hem halen.'

'Maar...' Maurice haalt zijn schouders op. 'Wat heeft jouw adoptieneefje uit Colombia hier nou mee te maken?'

'Dat snap je toch wel, man.' Daan schiet zijn vriend te hulp. 'Sven wil niet dat zijn neefje later wordt gepest en daarom is hij nu ook iets... ahum... iets anders over Nasim gaan denken. Toch?'

Sven knikt. 'Zoiets.'

'Dus nou vind je het wel goed als we die driehonderd piek aan de asielzoekers geven?'

'Nee.' Sven staat op. 'Dat vind ik nog altijd belachelijk. Wij hebben het geld verdiend en daarom mogen wij er best iets leuks mee doen.'

'Maak je het voor maandag goed met de meiden?' wil Daan weten. Hij stapelt de glazen in elkaar.

'Ik stuur vanavond een mail naar de hele klas,' belooft Sven.

'Als het maar een aardige mail is,' lacht Daan. 'Ik zal de brief van de Mac ook even scannen en naar iedereen toesturen.'

'Dat is waar ook.' Sven gaat weer zitten. 'Dat ben ik helemaal vergeten. Laat zien.'

Daan haalt voorzichtig de brief uit de envelop. 'Oppassen dat-ie niet vies wordt.'

'Vetvlekken moeten kunnen,' lacht Sven. Toch veegt hij eerst zijn handen aan zijn broek af voor hij de brief aanpakt.

11

'Daan! Da-an!'

Met een hoop herrie komt Sofie de trap af. 'Daan! Oh, ben je hier.' Daan zit op de bank het sportkatern van de zaterdagkrant te lezen en kijkt verbaasd naar zijn zus. 'Wat kijk jij verhit. Is er wat?' 'Jij hebt zeker dat mailtje van dat lekkere vriendje van je nog niet gelezen. Die spoort echt niet!'

'Nou, nou...' Met de mixer in haar hand draait moeder zich om. 'Kan het misschien iets minder?'

'Nee!' Sofie schudt woedend haar hoofd. 'Die Sven... die...' Ze haalt diep adem en geeft dan een blaadje aan haar moeder. 'Hier, lees zelf maar.' Zuchtend laat ze zich op een keukenstoel vallen.

Moeder fronst haar wenkbrauwen. 'Moet dat nu? Ik ben bezig met een taart.'

'Ik lees het wel voor.' Daan is nieuwsgierig geworden. Zijn zus is echt kwaad, maar waarom? Hij staat op en pakt het blaadje van zijn moeder. 'Sven zou een mail naar de hele klas sturen, dat heeft hij beloofd.'

'Dus...?' Sofie springt weer overeind. 'Jij weet hier van?' Ze rukt het blaadje uit zijn hand, frommelt het tot een prop en gooit het door de kamer.

'Doe effe normaal.' Daan wordt nu ook kwaad. 'Sven zou een mailtje aan de hele klas sturen, waarin hij sorry zou zeggen voor zijn gedrag van gistermiddag. Dat leek me geen slecht idee.' Hij pakt de prop op. 'Wat heeft hij dan geschreven?'

'Daar ben ik ook wel nieuwsgierig naar.' Moeder staat nog altijd met de mixer in haar hand en kijkt van Daan naar Sofie. 'Helemaal snappen doe ik het nog niet. Ik dacht dat Sven nogal populair bij jou was.'

'Wás!' knikt Sofie. 'En wás is de verleden tijd van ís.'

'Je meent het,' grinnikt moeder.

'Luister.' Daan heeft het blaadje gladgestreken.

Aan: groep 8
Van: supersven@hotmail.com
Tijdstip: vrijdag 6 november 2009; 21.05 uur
Onderwerp: Sorry!!!

Beste, aardige, lieve klasgenoten,

Sorry... 1000 x sorry voor mijn stomme opmerking van vanmiddag!
Ook ben ik de laatste tijd niet aardig geweest voor Nasim en haar familie.
Ik vind het nog altijd stom dat ons voetbalveld is afgepikt.
Maar... daarom kan ik nog wel een beetje aardiger praten over asielzoekers. Dat ga ik vanaf nu proberen.
Maarre... voordat jullie denken dat ik die 300 piek aan hen wil geven: DAT IS NIET WAAR! We hebben er hard genoeg voor gewerkt om er iets leuks mee te doen.
Ik heb wel een idee: Misschien kunnen we iets leuks voor iedereen bedenken.

Greetz,

Sven

P.S. Misschien vragen jullie je af waarom ik ineens anders reageer.

Ik krijg een neefje dat is geadopteerd. Hij woont nu nog in Colombia.

En wie het waagt om hem te pesten omdat hij een buitenlander is, die krijgt met mij te doen!!!

'Wat is hier mis mee?' Moeder kijkt vragend naar Sofie.

'Dit is toch een normale mail.' Daan laat zijn blik nog een keer over het bericht gaan. 'Ik snap niet waarom jij zo overdreven reageert.'

'Dus ik reageer overdreven. Denk even na, please!'

'Maar Sven zegt toch sorry.'

'Zo stelt het niks voor. Luister!' Ze rukt het blaadje uit Daans handen. 'Ik ben de laatste tijd niet aardig geweest voor Nasim... Wat je niet aardig noemt. Hij heeft gewoon een hekel aan haar. En waarom? Alleen maar omdat hij nu een eindje moet fietsen om te kunnen voetballen. En hier...' Ze slaat op het blaadje. 'Ik ga proberen aardiger te doen... Meneer Sven gaat het niet doen, nee, hij gaat het alleen maar pro-be-ren.' Ze werpt een vernietigende blik op Daan. 'Jij zal dit allemaal wel normaal vinden, maar ik niet. Oh ja, over het geld had hij ook nog iets: Voordat jullie denken dat ik die driehonderd euro aan hen wil geven, dat is niet waar. Pff!' Sofie doet alsof ze haar vinger in haar keel steekt. 'Ik word misselijk van die gozer. Hij zoekt het maar uit met dat geld. Wat mij betreft eet hij het op!'

Moeder schiet in de lach. 'Dat zou jammer zijn van het geld.'

'Dan is Sven in ieder geval driehonderd euro waard,' merkt Daan op.

'Haha! Wat zijn we weer grappig.'

'Wat is hier allemaal aan de hand?' Vader komt binnen en kijkt naar zijn vrouw. 'Zo te horen zijn onze kinderen goed uitgeslapen.'

'Ruzie over een mail van Sven,' vertelt moeder. 'Sven biedt zijn excuses aan, maar Sofie is het er niet mee eens.'

'Begint dat hele gedoe nou weer?' zucht vader. 'En dan nog wel op zaterdagmorgen.'

'Wat maakt dat nou uit?' Daan kijkt zijn vader vragend aan.

'Als jullie op een doordeweekse dag ruzie zoeken, heb ik er 's morgens geen last van,' lacht vader. 'Want dan ben ik al naar m'n werk. Maar... waar is die mail?'

Met een onwillig gezicht geeft Sofie het blaadje aan haar vader. Al mompelend leest die het bericht van Sven: '...sorry voor mijn stomme opmerking... niet aardig geweest voor Nasim... voetbalveld is afgepikt... aardiger praten over asielzoekers... driehonderd piek... hard genoeg voor gewerkt... iets leuks voor iedereen... neefje dat is geadopteerd...' Hij kijkt op. 'Leuk, dat Sven een adoptieneefje krijgt. Toch?'

'Heel leuk.' Moeder knikt. 'Maar daar gaat het nu niet om.'

'Maar het is wel de reden van de verandering bij Sven. Door dat neefje, dat hij alleen nog maar kent van een foto op de computer, is hij ineens anders over buitenlanders gaan denken.' Hij kijkt naar Sofie. 'En wat is nou jouw probleem?'

'Hij moet niet probéren aardiger te doen, hij moet het gewoon dóén! En niet omdat hij een adoptieneefje krijgt, maar voor Nasim. Logisch toch? En die driehonderd euro...'

'Ho!' onderbreekt vader haar. 'Luister wat Sven schrijft: Misschien kunnen we iets leuks voor iedereen bedenken. Hoor je dat? Voor ie-der-een. Dus voor groep acht én voor de asielzoekers. Dat is toch een heel leuk idee! Ik vind het zelfs beter dan dat je het geld aan hen zou geven. Weet je wat jullie moeten doen? Met elkaar een geweldig plan bedenken, waar jullie juf en de rest van de klas maandag gewoon niet meer omheen kunnen.'

'Top!' vindt Daan.

Sofie knikt. Aarzelend zegt ze: 'Goed plan. Bedankt, pa!'

'Pff,' zucht moeder. 'Mag ik nou weer verder met m'n taart?'

'Bel jij Sven,' stelt Daan voor. 'Dan bel ik Lotte.'

'Ik bel Lotte wel,' lacht Sofie. 'Jij mag Sven doen.'

Een beetje onwennig zitten Daan, Sofie, Lotte en Sven 's middags bij elkaar in de kamer van Sofie.

'Zullen we weer normaal tegen elkaar doen?' stelt Daan voor.

'Wij doen altijd normaal, hè Sofie?' Lotte knikt naar haar vriendin.

'Maar als jullie vervelend gaan doen, doen wij het gewoon terug.'

'Dat is...'

'Nee!' Daan ziet dat Sven kwaad wordt en dat moet nu niet gebeuren, anders lopen de meiden gelijk weer weg. 'Wij doen normaal, hè Sven?'

Sven knikt, maar zegt niks.

'Ook tegen Nasim?' wil Lotte weten.

'En niet omdat je een adoptieneefje krijgt,' zegt Sofie fel. 'Dat is een stomme reden! Ook zonder dat neefje van jou moet je normaal tegen Nasim doen.'

'Oké joh, maak je niet zo druk.'

'Maar ga je nou probéren normaal te doen, of ga je het echt doen?'

'Ja,' valt Lotte haar vriendin bij. 'Anders zeg je maandag weer: Ik heb het geprobeerd, maar het lukte echt niet. Sofie heeft gelijk. Geen woorden maar daden!'

Sven haalt zijn schouders op. 'Ik snap niet waar jullie je druk om maken. Ik ga er m'n best voor doen, dat is toch genoeg.'

Sofie kijkt naar Lotte. 'Zijn we tevreden?'

Lotte knikt. 'En nu kappen we met dat gehakketak op elkaar. Heb jij al een idee wat we met het geld kunnen doen?' Ze kijkt naar Sven. 'Daar had je het toch over in je mail?'

'Ik heb nog geen idee. Het leek me gewoon geinig om iets te bedenken waardoor we elkaar beter leren kennen.'

'En "we" zijn de asielzoekers en groep acht?' vraagt Daan voor de zekerheid.

'Ja.'

'Goed plan!' Hij ziet dat Lotte en Sofie instemmend knikken.

'De vraag is alleen wát we kunnen doen?' Sofie trekt een zak paprikachips open, neemt er een hand uit en geeft de zak door aan Lotte. 'Iets met elkaar doen is best lastig. Hoeveel asielzoekers wonen er eigenlijk?'

Daan wijst naar zijn mond, die net vol chips zit. 'Ik denk... er staan zes huisjes... ongeveer twintig, vijfentwintig mensen.'

'Kunnen we geen spelletjesdag met elkaar organiseren?' stelt Lotte voor.

'Niet echt spannend,' vindt Daan. 'Wat eten de mensen in Irak, weet iemand dat?'

'Hoezo?'

'Misschien kunnen we een multicultimaaltijd organiseren.'

'Een wat?' Sven fronst zijn wenkbrauwen.

'Een multicultimaaltijd. Wij maken typisch Nederlands eten klaar en de asielzoekers maken eten klaar uit hun eigen land. En dat gaan we dan samen opeten. Snappie?'

'Ik vind het wel een grappig idee.' Sofie knikt. 'Weet iemand wat Nasim eet?'

'Wacht even.' Daan gaat achter de computer zitten, opent google en typt in 'eten Irak'. Al snel schudt hij zijn hoofd. 'Dit schiet niet op. Trouwens...' hij lacht even. 'Misschien wil ik het niet weten ook.'

'Als het maar niet van dat vette vlees is, want dat vind ik niet lekker.' Lotte trekt een vies gezicht. 'Of vlees dat je moet kluiven.'

'Aanstellers,' lacht Sven. 'Ik vind dat multicultigedoe wel grappig, maar waar gaan we dat doen? Buiten is het in december te koud.'

'In de hal van de school. Dat vindt de juf best goed.' Lotte knikt. 'Dat vragen we maandag gelijk even.'

'Volgens mij moet de rest van de klas het ook nog een leuk idee vinden.' Daan pakt nog een handje chips.

'Natuurlijk vindt iedereen dit een goed idee.' Sofie knikt zelfverzekerd. 'En wie het waagt ons multicultigedoe af te kraken, krijgt met mij te doen. Wat is eigenlijk typisch Nederlands eten? Patat?'

'Volgens mij is dat niet echt Nederlands,' zegt Daan. 'Hoewel... er zijn nergens zoveel snackbars als in ons land. Maar we kunnen genoeg andere dingen verzinnen: pannenkoeken, poffertjes, boerenkool met worst...'

'Haring met uitjes,' vult Sofie aan. Ze slaat Sven op zijn schouders. 'Ik vind het een tof idee.'

'En ik heb van al dat gepraat over eten best honger gekregen.' Sven gaat staan. 'Wie gaat er mee naar de Mac? Ik trakteer.'

'Zo hé!' Sofie klapt in haar handen. 'Heb je soms wat goed te maken?'

'Ik zou het niet weten.' Sven haalt lachend zijn schouders op.

12

'Daan, je telefoon gaat!' Sofie steekt haar hoofd om de hoek van zijn kamer.

'Ik ben niet doof!' Daan doet de rits van zijn rugzak open. 'Waar zit dat ding nou?' Hij voelt met zijn hand tussen de schriften en boeken.

'Wel eens van een voorvakje gehoord?' Sofie is in de deuropening blijven staan en bekijkt de zoektocht van haar broer.

'Geen commentaar,' bromt Daan. 'Hebbes!' Hij kijkt op het display. 'Hej Sven!... Wat?... Dat meen je niet?... Wat staat er dan?... Dat weet je niet!' Hij knikt naar Sofie, die met een nieuwsgierig gezicht naar hem kijkt. Snel legt hij zijn hand op de mobiel. 'Op de huisjes van de asielzoekers zijn allemaal teksten gekalkt.' Hij gebaart naar Sofie dat ze haar mond moet houden. 'Nee, ik heb het niet tegen jou. Sofie wil weten wat er aan de hand is. Wat zeg je?... Goed plan. Ik kom daar ook naartoe. Wat?... Oké.' Hij verbreekt de verbinding en laat de telefoon in zijn broekzak glijden.

'Wie heeft dat gedaan? Wat staat er?' Sofie grijpt hem bij zijn arm.

'Dat weet Sven niet.' Daan schudt zijn hoofd. 'Zijn moeder heeft het gezien. Die kwam erlangs toen ze naar de winkel ging. Met rode verf is er van alles op de muren van de huisjes geschreven.'

'Wat rot voor Nasim!' Sofie slaat geschrokken een hand voor haar mond. 'We moeten ze helpen om het schoon te maken.'

'Dat lukt je nooit, daar heb je speciaal materiaal voor nodig.' Daan pakt de sleutelbos van zijn bureau. 'Ik ga naar het veldje. Sven komt ook.'

Achter elkaar rennen ze de trap af.

'Is er brand?' Vader steekt zijn hoofd om de hoek van de gang. Verbaasd kijkt hij naar Sofie en Daan, die allebei hun jas aantrekken. 'Waar gaan jullie naartoe?'

'De huisjes van de asielzoekers zijn ondergekalkt,' legt Daan uit.

'Wat staat er?'

'Dat weten we niet, daarom gaan we kijken.'

Vader schudt zijn hoofd. 'Waar zijn de rustige zaterdagmorgens gebleven. Vorige week dat gedoe met dat mailtje van Sven en nu dit weer. Hebben jullie al gegeten?'

'Dat is waar ook.' Sofie rent naar de keuken en komt even later terug met twee bolussen. 'Hierzo.' Ze geeft er een aan Daan. 'Ga je mee?'

Op de fiets zeggen ze niet veel tegen elkaar. Allebei willen ze zo snel mogelijk bij het veldje zijn.

Als Daan voor een rood licht wil stoppen, commandeert Sofie: 'Fietsen. Er komt niks aan.'

Hij moet zijn best doen om weer naast haar te komen. Intussen vraagt hij zich af wie die leuzen op de huisjes heeft geschilderd. Iemand van school? Nee, dat niet. Na vorige week zaterdag is het juist weer gezellig in de klas. Het multiculti-idee had iedereen geweldig gevonden.

Juf Antoinette was superenthousiast. 'Wat een schitterend plan,' had ze geroepen. 'Daar gaan we iets leuks van maken.'

Daan kan zich daarom niet voorstellen dat iemand uit de klas vannacht met verf bezig is geweest.

Heel even flitst Sven door zijn gedachten. Zou die het gedaan hebben?

Nee, natuurlijk niet! Sven is juist blij dat deze week alles weer goed is. In de klas is het gezellig, Sofie doet heel normaal tegen hem...

Maar wie dan? Wie heeft er zo'n hekel aan asielzoekers, dat-ie 's nachts allerlei kreten op die huisjes gaat schilderen? Hij neemt tenminste aan dat het vannacht is gebeurd. Misschien wel een stel dronken gasten. In de nacht van vrijdag op zaterdag gebeurt er wel meer rottigheid in het dorp. Een paar weken geleden is er nog een bushokje vernield.

Nog één bocht... Ja, daar is het veldje.

'Zo hé!' Sofie remt af.

Ook Daan zet zijn voeten op de grond en kijkt met grote ogen naar het veldje. Twee politiewagens, een grote groep mensen... Hoe weet iedereen dit zo snel?

'Ik zie Nasim!' Sofie wijst. 'Daar, naast haar huisje. Ik ga naar haar toe. Na-sim! Na-si-im!'

Nasim herkent de stem van Sofie en kijkt rond. Als ze haar klasgenoot ziet rent ze op haar af.

Sofie springt van haar fiets en gooit die op het gras. Even later vallen de twee vriendinnen elkaar in de armen.

Huilt Nasim?

Daan kan het niet goed zien.

Als Nasim en Sofie met de armen om elkaar heen weglopen, zet hij zijn fiets op slot en loopt achter hen aan.

'Néé!' Geschrokken leest hij:

Hij moet aan de spandoeken van Sven denken. Daar stonden ook geen aardige teksten op, maar ze waren niet zo hatelijk als wat hij nu leest.

Hij kan zich goed voorstellen dat Nasim en haar familie hier helemaal van in de war zijn. Stel je voor dat iemand zoiets op hun huis
had geschilderd!

'Lekkere teksten.' Sven duikt naast hem op.

'Weet jij hiervan?' Daan flapt het er zonder nadenken uit.

'Doe normaal!' Sven wijst naar zijn voorhoofd. 'Dat vroeg Lotte net
ook al. Waarom ik?'

'Wat denk je zelf?'

'Ik heb toch gezegd dat ik er spijt van heb.' Sven wijst naar een muur
van het huisje naast de woning van Nasim. 'Die is heftig.'

IRAKEZEN DOE ME EEN LOL, NEDERLAND IS AL VOL!

leest Daan. Hij zucht. 'Ik vraag me af welke gek dit heeft bedacht.'

'Die gek moet een aardig tijdje bezig zijn geweest.' Sven telt: 'Een,
twee, drie, vier...'

'Op dat huisje ook,' wijst Daan.

'Vijf. In ieder geval vijf teksten.'

'Zes!' Daan is een eindje verder gelopen. Op de zijkant van een
huisje staat in dezelfde rode letters als op de andere huisjes:

BUITENLANDERS!

'Hé, mannen!' Joep van der Wely, de journalist van de *Nieuwsflits*, duikt naast hen op. Om zijn nek hangt een camera, in zijn hand heeft hij een kladblok. 'Pittige teksten.' Hij knikt naar Sven. 'Heb jij die weer bedacht?'

'Wat? Heb ik... dat is... belachelijk!' Sven hakkelt van boosheid. 'Ik weet hier helemaal niks van.'

'Rustig maar,' grinnikt Joep. 'Het zou toch kunnen?' Hij kijkt even rond. Dan wijst hij naar Nasim en Sofie. 'Zit dat meisje bij jullie in de klas?'

'Die donkere,' knikt Daan.

'Je meent het.' Lachend slaat Joep Daan op zijn schouder. Dan loopt hij naar de twee meiden toe.

'Ik wil weten wat hij van plan is.' Sven loopt achter de journalist aan.

Daan knikt. Sven heeft gelijk. Voor je er erg in hebt laten die lui je iets zeggen wat je helemaal niet wilt, maar staat het wel in de krant.

Joep geeft Nasim en Sofie een hand.

'Ben je erg geschrokken?' hoort Daan hem vragen.

Nasim knikt verlegen.

Gelukkig helpt Sofie haar. 'Natuurlijk is ze geschrokken, net als alle mensen die hier wonen. Wie doet zoiets nou?' Ze wijst naar de tekst op het huisje van Nasim. 'Irakezen: wegwezen! Dat is toch niet leuk!' Met felle, donkere ogen kijkt ze Joep aan. 'Hollanders, wegwezen! Of: Journalisten, wegwezen! Hoe zou u dat vinden?'

Joep grinnikt. 'Jij bent een felle! Maar je hebt gelijk. Hebben jullie al enig idee wie dit gedaan kan hebben?'

'Nee.' Sofie gedraagt zich als de woordvoerder van Nasim. 'Ze hebben niks gehoord en niks gezien. Hè, Nasim?'

Nasim schudt haar hoofd.

'Dan zal het lastig worden om de dader op te sporen.' Joep slaat zijn kladblok dicht en pakt het fototoestel uit het tasje dat om zijn nek hangt. 'Ik wil even een foto nemen van jou...' Hij knikt naar Nasim. 'Wil je even voor een van de leuzen gaan staan?' Hij kijkt rond. 'Neem die maar.' Hij wijst naar het huisje waar op de muur staat: bUITenlanders.

'Dat wil Nasim helemaal niet.' Sofie schudt haar hoofd.

Joep zet grote ogen op. 'Wat is daar mis mee?'

'Alles!' Sofie knikt zelfverzekerd.

'Maar...' Dan ziet Joep dat de burgemeester het veldje opkomt. Hij haalt zijn schouders op. 'Dan niet.' Met het fototoestel in zijn hand loopt hij snel weg.

Sven pakt Sofie bij haar schouder. 'Waarom wil jij niet dat Nasim in de krant komt?'

'Omdat er dan zo'n zielige foto in de krant komt en Nasim is helemaal niet zielig. Hè, Nasim?' Ze slaat haar arm om de schouders van haar vriendin.

Sofie heeft gelijk. Daan snapt best dat een journalist zoiets voorstelt, maar op deze manier wordt Nasim wel een erg zielig slachtoffer.

'Ik snap er niks van.' Sven haalt zijn schouders op. 'Maar jullie zullen wel gelijk hebben. Kom mee, ik wil weten wat de burgemeester te zeggen heeft. Misschien kunnen we hem gelijk bedanken voor het verplaatsen van de doeltjes.'

Daan loopt met zijn vriend mee. Sofie heeft geen zin. Ze blijft liever bij Nasim.

De burgemeester is in gesprek met een paar asielzoekers.

'Vanmorgen vroeg hebben we het ontdekt,' vertelt een van de mensen. 'Het moet na twaalf uur zijn gebeurd, want toen is een van ons nog buiten geweest.'

De burgemeester knikt. Hij kijkt zorgelijk. 'Ik zal er alles aan doen om de verf vandaag nog te laten verwijderen.'

'Dat gaat sneller dan het verplaatsen van de doeltjes,' mompelt Sven.

'Stil, man.' Daan stoot zijn vriend aan.

'Het is toch zo?'

Daan reageert niet. Hij weet dat het bij Sven dan alleen maar erger wordt.

'Wat gaat de gemeente er aan doen om de dader op te sporen?' Joep is door de mensen heen naar voren gedrongen en staat nu naast de burgemeester.

De burgemeester kucht even. 'Het onderzoek is in handen van de politie. We hopen dat zij de daders spoedig op kunnen pakken.'

Joep knikt, terwijl hij aantekeningen maakt. 'En wat gaat u er aan doen om dit soort dingen te voorkomen?'

'Ik moet nog overleggen met de politie,' zegt de burgemeester. 'Maar ik stel me voor dat hier in ieder geval zeer regelmatig gesurveilleerd zal worden.'

Joep doet een stap naar achteren en neemt een foto van de burgemeester, die alweer in gesprek is met een paar asielzoekers.

'Lekker vaag allemaal,' vindt Daan. Samen met Sven slentert hij over het veldje terug naar zijn fiets. 'We hopen de daders spoedig te pakken. Het klinkt mooi, maar ik vraag me af hoe ze dat willen doen.'

'Ze zijn in ieder geval druk bezig.' Sven knikt naar een van de huisjes, waar mensen van de politie bezig zijn de tekst te fotograferen. Bij een ander huisje wordt een monster van de rode verf genomen.

'Hé, Sven. Wat heb je nou weer gedaan?' Maurice duikt naast hen op.

'Begin jij nou ook al? Je bent de zoveelste die mij verdenkt.' Sven doet zijn fiets van slot.

'Als je zo zeker weet dat ik het heb gedaan, waarom ga je me dan niet gelijk verraden?' Hij wijst over zijn schouder. 'Er loopt daar politie genoeg.'

'Waarschuw dan eerst Joep even,' zegt Daan.

'Joep?' Maurice kijkt verbaasd. 'Wie is dat?'

'Joep van der Wely, de journalist van de *Nieuwsflits*.'

'Laat maar.' Sven springt op zijn fiets. 'Gaan we vanmiddag nog voetballen?'

13

'Wat ben jij vroeg.'

Daan kijkt naar zijn zus, die de brooddoos in haar rugzak stopt.

'Ik ga Nasim ophalen.' Sofie pakt een sinaasappel van de schaal.

'Waarom? Dat doe je toch nooit.'

'Wat denk je?'

'Geen idee.'

'Dat begrijp je echt wel.' Moeder knikt naar Sofie. 'Ik vind het een goed idee dat je Nasim ophaalt. Ik hoop dat ze een beetje over de ergste schrik heen is.'

Sofie heeft haar laarzen gepakt. 'Dan kan ik gelijk zien of die stomme teksten al van de huisjes af zijn.'

Moeder kijkt naar de klok die boven de keukendeur hangt. 'Daar lijkt het me nog een beetje vroeg voor.'

'De burgemeester heeft zelf gezegd dat het weghalen van de teksten snel zal gebeuren.' Sofie trekt de rits van een van haar laarzen omhoog en kijkt met een verontwaardigd gezicht naar haar moeder. 'Geeft u nou eens één goeie reden waarom mensen een hekel hebben aan buitenlanders.'

'Daar hebben we het gisteren ook al over gehad.' Moeder gaat zitten en schenkt voor zichzelf een glas jus d'orange in. 'Nederland is al vol genoeg, buitenlanders leren geen Nederlands, buitenlanders passen zich niet voldoende aan...'

'Dat is toch belachelijk!' Sofie schudt fel haar hoofd. 'Nasim kan al best goed Nederlands.'

Daan zucht. Hij legt een mandarijn naast zijn brood en doet de brooddoos dicht. Dan pakt hij het pak jus d'orange en schenkt zijn glas vol.

Sinds zaterdagmorgen zijn bijna alle gesprekken over de teksten op de muren van de asielzoekershuizen gegaan.

Sofie en Lotte zijn gistermorgen, toen ze uit de kerk kwamen, nog even bij Nasim wezen kijken.

Volgens Sofie waren de meeste asielzoekers nog altijd in de war. Nasim had zelfs gehuild en gezegd: 'Waarom hebben de mensen een hekel aan ons?'

Lotte had tranen in haar ogen toen ze het vertelde. 'Als ik die vent in m'n vingers krijg die dat heeft gedaan...' Ze had met haar handen een knedende beweging gemaakt. 'Ik maak gehakt van hem.'

Daan kan zich de woede voorstellen. Het is ook superlaf om 's nachts zulke teksten op de muur te kalken. Wie doet zoiets nou?

Onder het eten hebben ze er gisteren lang over gepraat, maar niemand kon iets bedenken. Ook vader en moeder niet.

'Ik ga.' Sofie zwaait de rugzak over haar schouder en loopt naar buiten.

'Iedereen weet natuurlijk wat er zaterdag is gebeurd.' Juf Antoinette gaat met een ernstig gezicht op de kruk zitten. Ze zucht. 'Ik denk dat jullie allemaal op dezelfde manier reageerden als ik. Boos, verdrietig, machteloos...'

Brenda steekt haar vinger op. 'Juf, kunnen we niet iets doen om de dader te vinden?'

'Ja, een detectivebureau oprichten!' roept Maurice. 'D.B.D.F. Detectivebureau De Fontein, voor al uw problemen.'

'Doe normaal.' Patricia draait zich om. 'Jij maakt er gelijk weer een spelletje van.'

'Maar ik... Ik wil alleen maar...' hakkelt Maurice. Hij gaat met zijn hoofd in zijn handen zitten en kijkt kwaad.

'Maurice bedoelt het goed,' sust de juf. 'Ik denk dat we allemaal Nasim en haar familie graag willen helpen, maar helaas is dat erg

moeilijk. Meester Rob vertelde vanmorgen dat de politie ook nog geen enkel idee heeft wie de teksten op de huizen heeft gespoten. Ons gaat het dus zeker niet lukken om de daders te pakken.'
'Maar we kunnen toch...'
'Nee.' De juf onderbreekt Sven. 'Ik snap best dat jullie er nog een tijdje over willen praten. Dat mag, maar na de bijbelles. We gaan nu eerst beginnen.'

Een half uur later zitten de leerlingen van groep 8 in groepjes. De juf heeft op het bord drie vragen geschreven:

1. Waarom hebben mensen een hekel aan asielzoekers?
2. Wat kunnen we doen om 'onze' asielzoekers te helpen?
3. Wie zou(den) dit gedaan kunnen hebben?

Daan heeft zijn stoel opgepakt. Hij zit samen met Sven, Patricia, Brenda en Nasim in een groepje.
'Zal ik de antwoorden opschrijven?' Patricia pakt een kladblok en een pen uit haar laatje. Ze wacht niet op een reactie, maar zet gelijk een 1 bovenaan het blaadje. 'Waarom hebben mensen een hekel aan asielzoekers?'
'Omdat ze in hun eigen land horen,' zegt Sven. Geschrokken houdt hij zijn hand voor zijn mond en kijkt naar Nasim. 'Ik bedoel... dat vinden andere mensen. Ik niet.'
'Goed zo!' Patricia geeft hem een schouderklopje. 'In de herfstvakantie dacht je er nog heel anders over.'
'Dat is verleden tijd.' Daan ziet dat het gezicht van zijn vriend

betrekt. Typisch Patricia om weer even terug te komen op dat hele gedoe over het voetbalveldje. Waarom laat ze dat nou niet rusten? Hij wijst op het blaadje dat ze voor zich heeft liggen. 'Heb je dat nou opgeschreven? Sven heeft gelijk: er zijn mensen die zeggen dat asielzoekers in hun eigen land horen te wonen. Ze vinden dat Nederland vol is.'

'Nederland is vol. Oké, waarom nog meer?' Patricia schrijft een twee op.

'Omdat jullie vinden dat asielzoekers minderwaardige mensen zijn.'

Iedereen kijkt verbaasd naar Nasim. Met grote, donkere ogen staart ze voor zich uit en knikt. 'Dat is echt waar.'

'Minderwaardig? Hoe merk je dat dan?' Daan ziet dat iedereen gespannen naar Nasim kijkt.

'Het is gewoon zo.' Nasim fluistert bijna. 'Waarom schrijven ze anders allerlei hatelijke teksten op onze huizen? Waarom krijgen asielzoekers van een heleboel dingen de schuld? Waarom kan mijn vader nergens werk vinden? Waarom moeten wij...' Ze stopt en veegt een paar tranen uit haar ogen. 'Waarom moeten wij elke keer ergens anders wonen?'

'Het is nogal heftig voor jou, is het niet?' Juf Antoinette is bij hen komen staan. Ze legt een hand op de schouder van Nasim. 'Ik vind het wel erg dapper dat je er eerlijk over praat. En je hebt gelijk: er zijn Nederlanders die op buitenlanders neerkijken. Helaas wel! Maar... niet allemaal! Ik hoop dat je die mensen intussen ook bent tegengekomen.'

'Ik wil helemaal niet huilen, maar ik moet...' Nasim bijt op haar lip. 'Ik moet aan de mensen in mijn eigen land denken. Aan mijn opa en oma, aan mijn vriendinnen...'

'Je mist ze zeker?' zegt de juf.

Nasim knikt.

'Ik snap het.'

Daan is onder de indruk van wat Nasim heeft verteld. Natuurlijk weet hij dat asielzoekers het niet gemakkelijk hebben en dat ze regelmatig moeten verhuizen. Maar het is voor het eerst dat hij Nasim zo hoort praten. En het lijkt wel of het nu pas echt tot hem doordringt hoe moeilijk het leven van asielzoekers is.

Wat zou Nasim in Irak hebben meegemaakt? Zou ze dat willen vertellen? Of praat ze daar liever niet meer over?

Hij kijkt opzij. Nasim staart met grote ogen voor zich uit. Waarschijnlijk zit ze nu aan haar familie te denken.

Misschien heeft ze aan Sofie en Lotte meer verteld. Vanavond moet hij daar zijn zus naar vragen.

'Zullen we weer op onze plaats gaan zitten?' zegt de juf.

'Maar wij zijn nog maar bij vraag een.' Patricia wijst op haar blaadje.

'Dat geeft niet.' De juf kijkt even naar Nasim. 'Het was al heftig genoeg.'

'Weet jij eigenlijk wat Nasim in Irak heeft meegemaakt?' Daan kijkt zijn zus nieuwsgierig aan.

'Nee.' Sofie schudt haar hoofd. 'Ik heb er wel een keer naar gevraagd, maar toen zei ze dat ze daar niet over wilde praten.'

'Wat denken jullie dat er is gebeurd?' Daan kijkt naar zijn vader en moeder.

Na het eten zijn ze aan tafel blijven zitten. Daan heeft verteld over wat er die morgen is gebeurd. Ook vader en moeder zijn onder de indruk. Zelfs Kristian geeft geen commentaar.

'Waarschijnlijk heeft ze veel soldaten gezien, mensen opgepakt zien worden...' Vader knikt. 'Dingen waar wij hier in Nederland soms wel over horen en over lezen, maar die we ons echt niet voor kunnen stellen.'

'Ik heb pas een artikel gelezen over een Iraakse vrouw,' zegt Kristian. 'Ze had geblinddoekt opgesloten gezeten in een kelder waar ook ratten zaten. Ze had die ratten van het lijf weten te houden door alsmaar als een kat te miauwen. In het asielzoekerscentrum had ze nog altijd nachtmerries en slaapproblemen.'

'Stop maar.' Moeder rilt. 'Zijn de teksten al van de huizen afgehaald?'

'Ja. Vanmiddag uit school waren ze met het laatste huis bezig,' weet Sofie.

'Gelukkig. Het lijkt me verschrikkelijk als je elke keer die teksten ziet als je thuiskomt. Zijn de daders al gepakt?'

'Nee. Volgens meester Rob heeft de politie geen idee.'

'Even wat anders!' Kristian staat op. 'Wanneer is die grap in McDonald's nou?'

'Woensdagmiddag.'

'Ik denk dat ik woensdagmiddag ook trek heb in een Big Mac.'

'Als je dat waagt!' Daan en Sofie springen verontwaardigd op.

'Geintje!' Lachend loopt Kristian de kamer uit.

Als Daan 's avonds zijn mail checkt, heeft hij een bericht van Lotte.

Aan: groep 8
Van: lotte@hotmail.com
Tijdstip: maandag 9 november 2009; 18.55 uur
Onderwerp: uitnodiging

Heejj allemaal!

Na alle vervelende dingen met Nasim nu een leuk bericht.
Tenminste... ik hoop dat jullie het leuk vinden!
Ik ben woensdag 18 november jarig en dat wil ik met de hele klas vieren.
Na schooltijd kunnen jullie met me mee, want we eten bij mij.

Om 5 uur stuurt mijn vader jullie weer naar huis (zegt hij).
Ik hoop dat iedereen komt!

Liefs,

Lotte

'Hé Sofie!' Daan tikt op de deur van de kamer van zijn zus. 'Weet je al dat...'
'... Lotte volgende week woensdag haar verjaardag viert,' vult Sofie aan. 'Wat worden het? Rozen?'
Daan is helemaal overrompeld door de vraag van zijn zus. Hij voelt dat hij rood wordt.
Lachend slaat Sofie hem op zijn schouder. 'De goeie kleur voor de rozen heb je al.'

14

'Hartelijk welkom!' René van der Pol staat hen buiten op te wachten. 'Het lijkt me verstandig als jullie de fietsen aan de achterkant neerzetten. Ik weet niet hoe slim jullie juf en meester zijn, maar ik kan me voorstellen dat ze het niet snappen als hier een hele partij fietsen staat en er bijna niemand binnen zit. Ja...' Hij wijst. 'Daar moeten jullie heen. Maar wel opschieten, want het is al één uur en er moeten nog wel een paar dingen worden geregeld.'

De hele klas loopt met de fiets aan de hand naar de achteringang van McDonald's, waar normaal alleen het personeel parkeert.

'Aardige man,' vindt Sven, die zijn fiets naast die van Daan neerzet.

Daan knikt. 'En hij heeft gelijk. Stel je voor dat de juf en meester te vroeg zijn...' Hij kijkt rond en wenkt. 'Brenda, Patricia... Opschieten.'

'Dat hebben jullie snel gedaan.' De man knikt tevreden. 'Laat ik me eerst even voorstellen. Ik ben René van der Pol, de chef van deze McDonald's. Hoe gaan we het aanpakken? Ik breng jullie zo naar de aparte ruimte waar kinderfeestjes gehouden kunnen worden. De ramen heb ik vol posters gehangen, zodat de juf en meester jullie niet kunnen zien. Ik heb gezorgd voor kleine openingen, zodat jullie hén wel kunnen zien. Maar...' Hij kijkt even rond. 'Houd je stil, dat is erg belangrijk! De juf en de meester mogen niks merken, want anders is de grap gelijk voorbij.'

Sommige kinderen willen iets tegen elkaar zeggen, maar René onderbreekt hen. 'Nee... wacht even. We zijn er nog niet. Twee van jullie gaan namelijk met mij mee.' Hij kijkt even rond. 'Jij... en jij!

Jullie hebben bij mij de brief opgehaald, ja toch?'

Daan en Maurice knikken.

'Mooi zo. Ik heb een pruik, make-up, een petje, kleding... We gaan van jullie een paar echte McDonald's-medewerkers maken. Jullie gaan de juf en meester bedienen, want als tienduizendste klant krijgen ze natuurlijk een heerlijke lunch aangeboden. Zien jullie dat zitten?'

'Maar ze herkennen ons gezicht toch?'

'Dat denk ik niet.' René schudt zijn hoofd. 'Een bril en wat make-up doen wonderen, let maar op. Jullie herkennen jezelf straks niet eens meer.'

'Meneer!' Sofie steekt haar vinger omhoog.

'Zeg maar René tegen meneer,' lacht René. 'Wat is er?'

'Wanneer komen wij tevoorschijn?'

'Dat is een goeie.' René denkt even na. 'Dat is lastig afspreken. Ik denk op het moment dat jullie juf en meester lekker zitten te lunchen. Ik zal jullie een seintje geven, oké?'

'Maar als ze nou niet komen?' vraagt Lotte.

'Ze komen.' René knikt zelfverzekerd. 'Gisteren ben ik namelijk gebeld door jullie juf.'

'Door onze juf? Wat moest ze dan?' Daan kijkt verrast. Zou ze op het laatste moment toch argwaan hebben gekregen?

'Je hoeft niet te schrikken.' René steekt zijn duim omhoog. 'Het komt allemaal goed. Ik heb jullie juf gerustgesteld.'

'Wat vroeg ze dan?'

'Ze wilde weten of ze echt de tienduizendste klant was. Ze vond het vreemd dat ze dat pas later door middel van een brief te horen kreeg. Gelukkig kon ik haar geruststellen. Ze heeft beloofd te komen en...' René stopt even en kijkt geheimzinnig. 'Ik heb interessant nieuws. Natuurlijk heb ik gevraagd of de man die er vorige keer bij was ook weer meekomt. En wat denken jullie dat ze toen antwoordde?' René lacht om de nieuwsgierige gezichten. 'Ze zei... "Ja, mijn...

vriend komt ook mee!"'

'Wauw!'

'Zie je wel! Ik wist het.'

'Wat gemeen om niks tegen ons te zeggen!'

De hele klas is enthousiast. Er wordt gelachen, kinderen geven elkaar een high five of steken uitgelaten hun armen in de lucht. 'Jongens, actie!' René klapt in zijn handen. 'Jullie...' hij wijst naar Maurice en Daan, '...naar de keuken. De rest gaat met mij mee.'

Op een stoel liggen al McDonald's-shirts en -petjes klaar. Een meisje komt met een beautycase aanlopen. 'Jullie zijn de nieuwe medewerkers?'

'Voor een half uurtje,' lacht Daan.

'Mooi zo. Ik ben Mandy en ik zal jullie voor dat half uur een nieuwe look geven.' Ze pakt de kleren van de stoel en legt die op een tafel. 'Misschien bevalt die look je wel zo dat je 'm gelijk houdt.' Ze lacht even. 'Wie eerst?'

'Ga jij maar.' Maurice knikt naar Daan.

Mandy heeft intussen haar beautycase geopend en haalt vanonder de stapel kleren een plastic tasje tevoorschijn. 'Eens even kijken.' In haar hand heeft ze een bruine en een zwarte pruik. 'Als we het doen moeten we het goed doen.' Ze houdt de twee pruiken even naast het gezicht van Daan. 'Jij de bruine. En dan is deze voor jou.' De zwarte pruik stopt ze Maurice in handen.

'Ogen dicht,' commandeert ze Daan. Ze duwt zijn hoofd een eindje achterover.

Daan voelt dat ze met een kwastje over zijn gezicht gaat. Even later gaat ze met een soort stift over zijn bovenlip. 'Doe je ogen maar weer open.'

'Wat goed!' Maurice knikt enthousiast. 'Je ziet er echt heel anders uit.'

'De pruik.' Mandy trekt de pruik over zijn haar en bekijkt het resultaat van een afstand. 'Niet slecht.' Uit een van de zakken van haar schort pakt ze een bril en zet die bij Daan op.

'Super!' Maurice schiet in de lach. 'Zo herkent je moeder je niet eens! Wat gaaf!'

Daan kijkt rond of hij een spiegel kan ontdekken. Hij wil nu eindelijk zichzelf wel eens zien.

'Hierzo.' Mandy stopt hem een spiegel in zijn hand. 'Bewonder jezelf even.'

Daan schiet in de lach als hij zichzelf ziet. 'Geweldig!' Door de bruine pruik, de bril en de make-up ziet hij er niet alleen heel anders uit, hij lijkt ook veel ouder.

'Tevreden?'

'Top. Doe je dit wel meer?'

'Ik ben de vriendin van René en schoonheidsspecialiste. Toen René mij over jullie plan vertelde was ik gelijk enthousiast. Weet je... Antoinette, jullie juf, heeft bij mij in de klas gezeten op de havo. Geweldig toch? Ik heb ze al een paar jaar niet meer gesproken, dus dit leek me een leuk moment.' Ze kijkt even op haar horloge. 'Maar we moeten snel door.' Ze knikt naar Maurice. 'Jij bent.'

'Daar komen ze.'

Vanuit de keuken hebben Daan en Maurice een prachtig uitzicht op de parkeerplaats.

'Zie je dat!' Maurice geeft Daan een stomp. 'Ze lopen hand in hand.'

'Ik ben niet blind,' mompelt Daan. Snel doet hij een paar stappen opzij.

De juf en meester stappen McDonald's binnen en kijken aarzelend rond.

René stapt druk gebarend op hen af.

Daan kan niet horen wat er wordt gezegd, maar de juf en meester knikken vriendelijk.

René pakt van de toonbank een groot boeket en geeft dat aan de juf.

Een flits!

'Joep!' Daan stoot Maurice aan. 'Joep is er ook, wat goed! Het komt nog in de krant ook.'

René heeft intussen een waardecheque in zijn handen. Hij laat die aan de juf en meester zien, die enthousiast reageren.

'Ze mogen zeker een paar keer voor niks komen eten,' vermoedt Daan.

Als de juf ook de cheque in ontvangst heeft genomen, wijst René hun een tafel.

'Nu zijn jullie aan de beurt.' Mandy geeft Daan en Maurice een lichte duw. 'Heel gewoon doen. Succes.'

Daan loopt naar het tafeltje. 'Goedemiddag. Gefeliciteerd dat u de tienduizendste klant bent! Wat wilt u eten?'

Hij ziet dat Maurice intussen de bestelling van Joep van der Wely opneemt. Die is natuurlijk ingeseind door René en wacht tot groep acht tevoorschijn komt.

De juf bestudeert het bord boven de kassa. 'Wat voor smaken milkshakes zijn er allemaal?'

Smaken milkshakes? Op die vraag had Daan niet gerekend. 'Eh... Aardbeien... Enne...' Wat klinkt er nog meer logisch? Stom dat hij daar nu niet op kan komen.

'Heb je bananensmaak?'

'Vast! En anders maken we er een.' Daan doet zijn best om vriendelijk te blijven kijken. Hopelijk komen er niet meer van die lastige vragen.

'Doe mij maar een cheeseburger, een salade en een bananenmilkshake,' zegt de juf.

De meester bestelt een BigMac-menu.

Opgelucht geeft Daan in de keuken de bestelling door.

'En?' Mandy kijkt hem nieuwsgierig aan.

'Niks gemerkt.' Daan zucht opgelucht. 'Ze keken me amper aan.'

'Ze vinden elkaar belangrijker.' Mandy lacht. 'Kijk eens hoe verliefd ze zijn.'

De meester heeft zijn hand op die van de juf liggen. Ze hebben het zo te zien reuze naar hun zin.

Als Daan even later het dienblad op hun tafel neerzet knikken ze even als dank, maar praten gelijk weer verder.

'...moesten eens weten,' zegt de juf.

Meester Rob lacht. 'Ze komen er vanzelf wel een keer achter.'

Het liefst zou Daan bij hun tafeltje blijven staan, maar dat zou te veel opvallen. Hebben ze het over groep acht? Vast!

Wat zal dat lachen worden als de hele klas zo tevoorschijn komt.

Let op! René loopt naar het aparte zaaltje en gaat naar binnen. Nu kan het elk moment gebeuren!

De juf en de meester hebben nog altijd niks door. Tussen twee happen van zijn BigMac door maakt meester Rob waarschijnlijk een grappige opmerking, want de juf schiet in de lach.

Dan gaat de deur van het zaaltje open. Achter René komen Sofie, Lotte, Sven...

Nog altijd zien de juf en meester hen niet. De juf heeft alleen maar aandacht voor de meester, die met zijn rug naar het zaaltje zit.

Het kan nu niet lang meer duren!

'Smaakt het?'

Meester Rob draait zich geschrokken om, de juf geeft een harde gil.

'Wat doen jullie hier?'

Een luid gejuich is het gevolg.

Hoofdschuddend staan de juf en de meester op. Het is duidelijk te zien dat ze totaal verrast zijn.

'Was het dan toch een grap?' roept de juf. Ze kijkt naar René. 'En ik heb je gisteren nog speciaal gebeld, omdat ik het niet vertrouwde.'

René maakt een verontschuldigend gebaar en wijst naar Daan en Maurice. 'Zij kunnen jullie meer vertellen.'

'Zij? Maar... Zitten jullie ook...' Ineens lijkt ze zich te herinneren dat ze de jongens al eerder heeft gezien. 'Daan en Maurice! Jullie liepen hier net ook al rond. Daan, jij hebt onze bestelling toch opgenomen?'

Meester Rob slaat zichzelf voor z'n hoofd. 'Dat ik je niet heb herkend.'

'Misschien had u het te druk met andere dingen,' merkt Daan op. Hij lacht veelbetekenend.

'Maar wat is hier nou de bedoeling van?' wil de juf weten.

'Wij willen... eh... nou ja...' Daan hakkelt. Hulpzoekend kijkt hij naar Maurice.

'Laat mij maar.' Sofie doet een stap naar voren. 'Volgens heel groep acht zijn jullie verliefd op elkaar. Om erachter te komen of dat echt zo is hebben een paar kinderen jullie geschaduwd, maar daar werden ze niet veel wijzer van. Daarom...'

'O-oh!' De juf kijkt met een verontwaardigd gezicht naar meester Rob. 'Geschaduwd! Hoe durven ze! Wanneer dan?'

'Dat komt later wel. Laat eerst Sofie haar verhaal vertellen.' Meester Rob legt zijn hand op de schouder van de juf en knikt naar Sofie.

'Nou... We wisten dat jullie een tijdje geleden samen bij de Mac zijn geweest. Toen hebben een paar jongens deze grap bedacht om te kijken of jullie echt samen zouden komen. En René heeft ons geholpen met de brief.'

'Samen met zijn vriendin.' Daan kijkt om en wijst naar Mandy.

'Hoi Antoinette.'

De juf kijkt verbaasd naar Mandy. 'Ken ik... Mandy! Wat leuk! Zit jij ook in het complot?'

'Een beetje. Ik heb die twee jongens een beetje veranderd.' Ze wijst naar Daan en Maurice.

'Ongelooflijk!' De juf en de meester kijken elkaar aan en schieten dan in de lach.

'Oké!' René gaat in het midden van de kring staan. 'De grap is geslaagd. Maar... ook al waren jullie niet de tienduizendste bezoeker, die cheque is echt. Dat is een cadeautje van de zaak. Voor de schrik, zullen we maar zeggen.'

De juf en de meester klappen in hun handen, waarna heel groep acht hen bijvalt.

'Dan krijgt groep acht nu een ijsje en dan mogen... nee, moeten ze vertrekken. Dan kunnen de juf en de meester nog even bijkomen.' Opnieuw gaat een groot gejuich op.

'Mag ik een foto nemen?' Joep van der Wely kijkt vragend naar de juf en de meester. 'Deze grap moet in de krant, vinden jullie niet?'

'Dat kan er ook nog wel bij,' zegt de juf lachend.

Even later staat heel groep acht rond de juf en meester. Joep is op een stoel gaan staan en knikt tevreden. 'Helemaal goed. Even lachen allemaal... Cheese! Okido! Bedankt!' Joep steekt tevreden zijn duim omhoog. 'Misschien lukt het nog het artikel morgen in de *Nieuwsflits* te krijgen.'

Daan ziet dat de juf en meester even zitten te fluisteren, dan klapt meester Rob in zijn handen. 'Jongens, mag ik nog iets zeggen?' Hij wacht even tot het stil is. 'Jullie snappen dat wij totaal verrast zijn door deze actie. Maar... geweldig! Wat een origineel idee! Wij hebben voor jullie ook nog een kleine verrassing, als jullie het tegen niemand vertellen.' Hij kijkt even naar juf Antoinette. 'De juf en ik zijn inderdaad verliefd op elkaar.'

Een oorverdovend kabaal barst los.

Lachend houden de juf en meester hun handen tegen hun oren.

Als iedereen weer wat rustiger is, klinkt ineens de stem van René: 'Een ijsje en dan wegwezen!'

15

'Laten we even ons lijstje voor het multicultifeest doornemen.' Juf Antoinette pakt uit haar tas een schrift en doet dat open. 'Even kijken... De uitnodigingen, daar hebben meester Rob en ik voor gezorgd.' Ze zet er een vinkje voor. 'Borden, glazen en bestek... Lotte en Sofie?'

'Geregeld, juf! We zijn bij de Super geweest en van hen krijgen we alles gratis.'

'Geweldig, al die mensen die sponsor willen zijn. Sven, vergeet je de Super ook niet op onze sponsorlijst te zetten?'

'Staat er al op, juf.'

'Mooi zo. Dan nu het eten. Wie hebben er thuis allemaal iets geregeld?'

Minstens twintig vingers gaan omhoog.

'Zo-o!' De juf pakt een pen van haar bureau. 'Maurice, ik begin bij jou.'

'Mijn moeder maakt een pan erwtensoep.'

De juf steekt haar duim omhoog. 'Hollandser kan bijna niet. Met spek en worst?'

Maurice knikt.

'Maurice... erwtensoep. Is genoteerd. De volgende, Brenda.'

'Mijn moeder bakt pannenkoeken.'

'Ik krijg nu al trek.' De juf lacht. 'Brenda, pannenkoeken. Erik?'

'Mijn vader zorgt dat iedereen aan het eind een zak Hollandse drop mee naar huis kan nemen.'

'Iedereen?' De juf knikt. 'Dat is... O, wacht. Jouw vader heeft dat via zijn werk geregeld?'

'Ja.'

'Ook een leuk idee!' De juf wrijft tevreden in haar handen. 'Jongens, het wordt geweldig.'

'Het is een bijzonder menu geworden.' Juf Antoinette laat haar blik nog even over de lijst gaan. 'Erwtensoep, pannenkoeken, drop, poffertjes, ijs, toetjes, hutspot, boerenkool met rookworst, patat... Ik denk niet dat er in Nederland een restaurant is te vinden waar dit allemaal op het menu staat. Het is echt heel leuk hoe enthousiast iedereen is.' Ze legt het schrift terug op haar bureau. 'Zullen we gaan eindigen? Iedereen zal om kwart over twaalf wel gelijk weg willen.' Ze knipoogt even naar Lotte. 'Ziet je moeder het zitten, zo'n hele invasie van groep acht-ers?'

'Het was haar eigen idee.'

'Erg leuk! 't Wordt vast gezellig,' vermoedt de juf. 'Jongens, eerbiedig.'

'Echt leuk! En wat groot!'

Iedereen kijkt vol bewondering rond in de garage, die is omgetoverd in een soort feestzaal.

'Er kunnen hier makkelijk twee auto's staan.' Lotte lacht. 'Maar we hebben er maar eentje.'

'Handig toch,' vindt Maurice. 'Kun je hier lekker tafeltennissen.'

'Ze hebben ook een tafeltennistafel,' zegt Sven. 'Daan en ik gaan wel eens mee.'

'Maar die hebben we nu ingeklapt, anders wordt het een beetje krap.' Lotte wijst naar de kussens op de grond. 'We hadden niet genoeg stoelen, daarom hebben we kussens op de grond gelegd.'

'Juist gezellig,' vindt Sofie.

Daan knikt. De garage is amper te herkennen. Behalve de kussens liggen er een paar grote kleden op de vloer. Tegen de muur staan een paar tafels, verder is de garage leeg. Zelfs het gereedschap is weggehaald. Door de hele garage heen hangen slingers en ballonnen. Een ideale plek voor een verjaardagsfeest.

'Ik dacht al dat ik jullie hoorde.' De moeder van Lotte komt binnen met een grote schaal cakejes.

'Hoi mam!' Lotte geeft haar moeder een zoen. 'Waar zullen we de jassen laten?'

'Die neem ik mee naar de keuken.' Moeder zet de schaal op een van de tafels. 'Hoi Sofie.'

'Gefeliciteerd met de verjaardag van uw dochter.' Sofie geeft de moeder van Lotte drie zoenen.

'Dankjewel.'

Erik doet een stap naar voren. 'Hartelijk gefeliciteerd, mevrouw.'

'En jij bent?'

'Ik ben Erik.'

'Ha, Daan. Jij hoeft je niet voor te stellen. Jij ook gefeliciteerd met je vriendin.'

'Daan komt hier natuurlijk regelmatig,' zegt Maurice.

Daan voelt zich rood worden. Stomme Maurice!

Gelukkig reageert er niemand.

'Help jij even limonade inschenken.' Lotte stoot hem aan. 'We hebben cola, sinas en seven-up.' Ze wijst naar een krat onder de tafel. 'En hier zijn plastic bekers.'

'Jongens, zitten allemaal.' Sofie gebaart dat iedereen moet gaan zitten. 'Cadeautjes.' Ze pakt een plastic tas en haalt er de pakjes uit. 'Hier.' Erik, Nasim en Patricia krijgen er een in hun handen gestopt. 'En deze mag jij geven.'

'Maar ik...' Daan kijkt verbaasd naar het cadeautje.

'Dat wil je echt wel. En...' Sofie buigt zich naar hem toe en fluistert: 'Lotte vindt het veel te leuk als jij haar ook iets geeft.' Zonder zijn reactie af te wachten begint ze te zingen: 'Er is er een jarig, hoera, hoera. Dat kun je wel zien dat is zij.'

Het dreunt in de garage. Zeker als ze, net als in de klas, twaalf keer 'hoera' roepen. Zelfs de moeder van Lotte steekt haar hoofd even om de hoek van de deur.

'Nasim, jij eerst.' Sofie heeft duidelijk de leiding.

Nasim gaat staan, feliciteert Lotte nog een keer en geeft dan het cadeau. 'We hebben met de hele klas geld opgehaald.'

'Bedankt!' Lotte draait het grote pak een keer rond. 'Echt geen idee wat hier in zit.' Ze haalt de rode strik eraf en plakt die op haar T-shirt, dan trekt ze voorzichtig het plakband los. 'Wat gaaf!' Een lichtblauwe rugzak komt tevoorschijn. 'Precies die ik wilde.' Ze kijkt naar Sofie. 'Die heb jij zeker gekocht.'

Sofie lacht en haalt haar schouders op. 'Daan, jij bent.'

Daan loopt met het kleine pakje naar Sofie. Hij heeft geen idee wat erin zit. 'Hartelijk gefeliciteerd met je verjaardag.'

'Zoe-nen, zoe-nen!' roept Maurice.

Gelijk valt de hele klas Maurice bij.

Daan weet niet wat hij moet doen. Weer gaan zitten? Sofie kijkt hem lachend aan, ze lijkt het best te vinden.

Oké dan. Hij doet een stap naar voren en geeft Sofie drie zoenen.

Opnieuw gefluit en gejoel.

Als Daan weer gaat zitten, ziet hij de moeder van Sofie met een fototoestel in haar hand. Lachend steekt ze haar duim naar hem op.

Na de patat en broodjes met knakworst doen ze allemaal spelletjes. De moeder van Lotte komt regelmatig even kijken en elke keer neemt ze iets lekkers mee: een schaal met Chupa Chups-lollies, een zak met allerlei soorten spek en aan het eind van de middag krijgt iedereen een blikje drinken en een zelfgebakken eierkoek.

'Als een paar kinderen helpen opruimen, mag de rest naar huis,' zegt de vader van Lotte om kwart over vijf. Hij is speciaal eerder thuisgekomen om ook nog iets van het feest mee te maken.

'Ik help wel even,' biedt Daan aan. Ook Sofie, Sven en Nasim blijven, terwijl de rest van de klas de ouders van Lotte bedankt en met een hoop herrie vertrekt.

'Willen jullie de kussens boven brengen?' vraagt Lotte. 'Leg ze maar op de overloop, dan zoek ik ze daar wel uit.'

Met hun armen vol kussens lopen de jongens de trap op. In een van de kamers zit Brendon, de broer van Lotte, achter zijn pc. Als hij Sven en Daan ziet schuift hij zijn stoel naar achteren. 'Even kijken.' Hij pakt een paar kussens uit de stapel. 'Deze zijn van mij. Oh wacht, die ook.'

'Laat mij maar even.' Sven pakt het grote, donkerblauwe kussen en loopt achter Brendon aan.

'Is dit een leuk spel?' Sven heeft een hoesje van het bureau gepakt. 'Ben je dit nu aan het spelen?'

'Het is best heftig,' zegt Brendon. 'Er wordt flink geknald.' Hij gaat zitten en tikt op een toets.

Sven en Daan vergeten de kussens. Brendon heeft niks teveel gezegd. Een militair moet een terrein over, maar van alle kanten loert gevaar. Achter elke boom of struik kan de vijand zitten. Zelfs vanuit de lucht kan hij beschoten worden.

'Aan zulke hulp hebben we lekker veel.' Nasim en Sofie komen met een stapel kussens boven. 'Waar moeten ze naartoe?'

'Ik kijk wel even.' Brendon schuift zijn stoel naar achteren. 'Wil een van jullie even?'

'Gaaf.' Sven gaat gelijk zitten en speelt verder.

'Wat doen jullie?' Sofie en Nasim komen achter hen staan.

'Gewoon... een spelletje,' mompelt Daan. Hij kijkt vol bewondering naar zijn vriend.

'Nu moet je opletten.' Met een kussen in zijn hand kijkt Brendon even naar het scherm. 'Daar rechts, achter die schutting, zitten een paar vijanden. Je moet nu constant vuren anders raken ze jou.'

Onafgebroken gaan de vingers van Sven over de toetsen.

Brendon zet het geluid iets harder, zodat het mitrailleurvuur goed is te horen.

'Nasim, wat is er?'

Daan hoort aan de stem van zijn zus dat er iets aan de hand is. Als hij omkijkt, ziet hij dat Nasim de trap afrent. 'Wat is er met haar aan de hand?'

'Geen idee.' Sofie haalt haar schouders op. 'Ze begon ineens te huilen en toen holde ze weg. Ik ga wel even kijken.'

'Ik ga mee.' Daan stoot Sven aan. 'We zouden helpen, weet je nog?'

'Ik kom.' Ingespannen tuurt Sven naar het scherm. Hij heeft waarschijnlijk niet eens gemerkt wat er achter zijn rug is gebeurd.

Daan loopt naar beneden.

In de kamer staan Lotte en Sofie, ze hebben een arm om Nasim heen geslagen. Ook de moeder van Lotte staat erbij.

Aarzelend gaat hij bij hen staan en fluistert: 'Wat is er?'

Sofie schudt haar hoofd.

'Ik... ik vond het gewoon eng.' Nasim snikt en veegt met de rug van haar hand langs haar ogen.

'Eng?' Aan de stem van Lotte is te horen dat ze haar klasgenoot niet begrijpt.

'Moest je aan Irak denken? Aan wat je daar hebt meegemaakt?' De moeder van Lotte streelt het haar van Nasim.

Met betraande ogen kijkt Nasim op en knikt. 'Ja.'

'Ik snap het. Het is ook eigenlijk belachelijk, al die schietspelletjes.' De stem van Lottes moeder klinkt geërgerd. 'Wil je nog iets drinken?'

Nasim schudt haar hoofd. 'Nee, het gaat weer. Ik schrok gewoon van al dat... dat schieten.' Ze staart voor zich uit. 'En toen moest ik aan mijn eigen land denken. Daar hoorde je ook vaak schieten. En dat is heel erg eng. Eén keer dacht ik dat er op mij werd geschoten.' Ze veegt een paar tranen weg. 'Ik heb me toen op de grond laten vallen aan de kant van de weg en ben heel lang blijven liggen. Na een tijd ben ik naar huis gerend. Ik was bang dat er iets met mijn vader en moeder of mijn broertjes was gebeurd. Gelukkig was dat niet zo.'

'Schrok ze echt van dat spelletje?'
Onderweg naar huis vertelt Daan aan Sven wat er is gebeurd.
'Ja.'
Sven schudt ongelovig zijn hoofd. 'Dat is toch niet normaal.'
'Of het is niet normaal wat zij heeft meegemaakt. Ik heb pas een tijdje gezocht op internet. Echt absurd wat je leest.'
'Wat lees je dan?'
'Over zelfmoordacties met veel doden, gijzelingen, moord en doodslag...' Daan haalt zijn schouders op. 'Wat eigenlijk niet? Heel veel mensen hebben gezien dat familieleden werden doodgeschoten.'
'Heeft Nasim dat ook meegemaakt?'
'Dat van die familieleden?' Daan schudt zijn hoofd. 'Dat weet ik niet. Maar zeker weten dat ze erge dingen heeft gezien. Logisch dat ze daarom schrok van dat computerspelletje.'
'Dat is... dat is best rot voor haar.'
Verbaasd kijkt Daan opzij. Het lijkt wel of Sven een beetje begrip krijgt voor Nasim.

16

'Wat moet Nasim verschrikkelijke dingen hebben meegemaakt.' Moeder schudt haar hoofd als Sofie en Daan vertellen over de reactie van Nasim op het computerspelletje. 'Ik vind het nog altijd een erg goed idee dat jullie de driehonderd euro gebruiken om elkaar beter te leren kennen.'

'Dat multicultigedoe... Gaat dat door?' Kristian schept een paar lepels satésaus over de nasi.

'Natuurlijk. Wist je dat niet?' Daan kan zich niet voorstellen dat Kristian daar niets over heeft gehoord.

'Het gaat bijna elke avond over Nasim en de asielzoekers,' mompelt Kristian. 'Eerst was jullie voetbalveldje ingepikt, toen die spandoeken, daarna dat gedoe met Sven, dan ineens het plan om een multicultimaaltijd te organiseren...' Hij haalt zijn schouders op. 'Ik kan het allemaal niet meer bijhouden.'

'De multicultimaaltijd is volgende week vrijdag, bij ons op school.'

'Leuk.' Kristian knikt. 'Vond iedereen het gelijk goed?'

'We hebben er niet eens over gestemd,' vertelt Daan. 'Sven heeft het idee aan de klas verteld en iedereen was gelijk enthousiast.'

'Hebben jullie nog wel eens iets gehoord over al die kreten die op de huizen waren geschilderd?' wil vader weten.

'Oh ja, dat hebben we ook nog gehad.' Kristian grinnikt. 'Jullie kunnen niet zeggen dat het saai is, met die asielzoekers in ons dorp.'

'Volgens de juf is het heel lastig om de dader...'

'...of de daders,' vult Sofie aan.

Daan knikt. 'Het is heel lastig om die te vinden.'

'Dat kun je dus wel op je buik schrijven,' knikt Kristian. Hij drinkt zijn glas leeg en schuift zijn stoel naar achteren. 'En gebeurt er volgende week vrijdag nog iets leuks?'

'Hoe bedoel je?' Sofie kijkt hem vragend aan.

'Het is toch leuk genoeg,' vindt Daan. 'We hebben mega veel soorten eten. Patat, pannenkoeken, poffertjes, boerenkool met worst... Echt van alles en nog wat.'

Kristian schudt zijn hoofd. 'Nee, dat bedoel ik niet.'

'Zeg dan wat je wel bedoelt.' Vader schenkt nog een glas spa rood in. 'Ik snap er ook niks van.'

'Gewoon... een verrassing.'

'Lekker duidelijk.' Daan schudt geërgerd zijn hoofd. 'Wat voor verrassing?'

'Dat weet ik ook niet. Iets spetterends, waar niemand op rekent. Vuurwerk bijvoorbeeld.'

'Dat lijkt me niet zo'n goed idee,' zegt moeder gelijk. 'Van al dat geknal en dat vuur worden de mensen juist bang. Kunnen jullie aan het eind van de avond niet iets overhandigen?'

'Een fiets!' roept Sofie. 'Heel veel asielzoekers kunnen niet fietsen.'

'Veel te duur.' Daan schudt zijn hoofd.

'Maar bijna alles wordt betaald door sponsors. Volgens mij wordt die driehonderd euro amper gebruikt.'

'Ik vind het wel een leuk idee.' Vader knikt. 'Een of twee fietsen, die door iedereen gebruikt kunnen worden. En de leerlingen van groep acht gaan de asielzoekers fietsen leren. Wat je moet doen? Ga eens met de Fietsengigant praten. Misschien heeft die wel een paar tweedehandsfietsen, dat kan natuurlijk ook.'

'Top!' Daan wordt steeds enthousiaster. 'Ik ga zo de hele klas een mail sturen. Misschien zijn er nog meer ideeën.'

Aan: groep 8
Van: dvds@hotmail.com
Tijdstip: woensdag 18 november 2009; 18.29 uur
Onderwerp: multiculti

Heejj beste groep 8-ers,

Volgende week vrijdag is onze multicultimaaltijd!!
Wij hebben er zin in! We hopen alleen dat we het eten
uit Irak lusten. Maar anders zijn er genoeg Hollandse
gerechten te bikken.
Wij hebben nog een idee. Nou ja, eigenlijk Kristian (mijn
broer).
We willen nog iets spetterends bedenken, een verrassing!
Bijvoorbeeld: aan de mensen een paar fietsen aanbieden
en ze leren fietsen!
Bij de Fietsengigant zouden we kunnen proberen of ze
een paar g.t.f-jes voor ons willen regelen voor een aardig
prijsje.
Maar... misschien hebben jullie ook spetterende ideeën!
Daarom: denk erover na en laat het weten als je een idee
hebt.

Groeten en liefs van Sofie en Daan
PS. Daan denkt dat jullie niet snappen wat g.t.f.-jes
betekent.
Wat onderschat hij jullie, hè?
Maar oké... g.t.f.= goeie tweedehands fiets.
Logisch toch?

Liefs,

Sofie

'Oké?' Sofie kijkt even opzij.

Daan knikt.

'Daar gaat-ie dan!' Sofie klikt op 'verzenden'. Kijken hoe lang het duurt voor we een reactie hebben!'

'Ik denk dat Sven als eerste reageert.'

'Dat kan niet missen.' Sofie schuift haar stoel naar achteren. 'Ik ga m'n huiswerk maken.'

'Ik doe het wel hier. We hebben morgen toch een rep van verkeer?'

Daan legt zijn verkeersboek voor zich.

'Ja, maar die kun je amper leren.'

'Vorige keer had ik een vier. Ik blader het in ieder geval even door.'

'Succes!' Met een klap valt de deur achter Sofie dicht.

Daan doet zijn schrift open en bladert naar les vier. In een woonwijk! Lekker boeiend. Een saaier vak dan verkeer bestaat er niet.

Hé, een reactie. Daan schuift zijn schrift aan de kant. Lotte! Die is nog sneller dan Sven. Hij klikt de mail open. Er staan slechts twee woorden: Tof plan.

Als Daan naar bed gaat, checkt hij nog één keer zijn mail. Ze hebben twaalf reacties. Iedereen is enthousiast over het fiets-idee. Dat moeten ze in het weekend maar proberen te regelen. Kijken of z'n vader of moeder mee wil naar de Fietsgigant. Dan hebben ze vast meer succes.

Juist als hij de computer wil afsluiten krijgt hij nog een bericht. Het is van Sven.

Hé, dit keer is het niet aan de hele klas gericht.

Wat moet hij nou weer?

Nieuwsgierig leest Daan:

Aan: Daan
Van: supersven@hotmail.com
Tijdstip: woensdag 18 november 2009; 21.47 uur
Onderwerp: geheim

Hey Daan,

Leuk idee, die fietsen. Helemaal Toppie!
Ik heb nog een gaaf idee, maar dat vertel ik je nog wel.
Maarre... niemand mag ervan weten.
Het moet tot de multicultimaaltijd geheim blijven.

Doei,

Sven

17

'Heb jij dat Iraakse vlees al geproefd?'

Sven knijpt in zijn neus. 'Alleen de lucht al. Moet je kijken, de botten hebben ze gewoon laten zitten.'

Daan grinnikt. 'Stel je niet aan, dat doen wij met kip ook.' Hij wijst. 'Die loempia's zijn best lekker.'

'Heb jij die op?' Sven pakt aarzelend een loempia van de schaal en ruikt eraan. Dan neemt hij voorzichtig een hap. 'Dit is...' Hij trekt een vies gezicht.

'Aansteller!'

Sven lacht. 'Geintje. Je hebt gelijk, het is best lekker.'

'Durf jij dit te eten?' Daan wijst naar kleine hapjes. 'Wat zit daar eigenlijk overheen?'

Sven stopt het laatste stukje van zijn loempia in zijn mond. 'Ik denk... datte...' Hij slikt een keer. 'Dat is kokos.'

'Kokos vind ik wel lekker.' Daan pakt een hapje en bijt erin. 'Zo! Dit is echt mierzoet. Daar vallen je tanden van uit.'

'Over aanstellen gesproken.' Sven lacht. 'Dan neem je gewoon een stukje brood.' Hij houdt zijn vriend een mand voor. 'Ze hebben het zelf gemaakt, het smaakt naar stokbrood.'

'Een stukje. Dan ga ik verder met de Hollandse pot. Wanneer komen we eigenlijk in actie?'

Sven kijkt rond. 'We moeten onopvallend wegpiepen. Nu?'

'Mij best. Ik zie je zo bij het huisje van Nasim.' Met zijn handen in zijn zak loopt Daan door de aula naar de buitendeur. Aan de zijkant staan lange tafels. Links staat het Nederlandse eten, rechts de meest exotische gerechten.

Het is een enorm succes. Overal zitten groepjes mensen met elkaar te eten en te praten. Leuk ook dat alle juffen en meesters van De Fontein op school zijn gebleven en nu mee-eten.

'Daan! Da-aan!' Sofie en Lotte komen achter hem aanrennen.

'Wanneer gaan we de fietsen geven?'

'Helemaal aan het eind?' Daan ziet uit zijn ooghoeken Sven de deur uitgaan. 'Iedereen zit nu juist lekker te eten.'

'Meiden!' Juf Antoinette wenkt Sofie en Lotte en wijst naar de tafel met dranken. 'Willen jullie helpen rondgaan?'

Daan is de juf dankbaar. Zodra de meiden zijn verdwenen loopt hij de school uit.

Sven staat ongeduldig op hem te wachten. 'Waar bleef je nou?'

'Sofie en Lotte...' Daan voelt in zijn broekzak. 'Nee, hè! Kan ik bij je achterop? M'n fietssleutel ligt nog binnen.'

'Dan moet jij de tas vasthouden.' Sven stopt hem een grote plastic tas in zijn handen.

'Hé mannen.' Joep van der Wely komt het plein op. 'Is jullie multicultifeest al afgelopen?' Hij kijkt nieuwsgierig naar de tas.

'Hoe weet jij van ons feest?'

'Ja...' Joep lacht geheimzinnig. 'Als journalist heb je overal je bronnen. Dat moet wel! Maar in dit geval is het niet zo moeilijk. Toen jullie vorige week woensdag bij de Mac weggingen, heb ik nog even met de juf en meester zitten praten. Aardige mensen!'

'En zij hebben over het feest verteld,' begrijpt Daan.

'Ja. En jullie snappen dat ik gelijk geïnteresseerd was.' Joep knikt veelbetekenend naar Sven. 'Eerst die spandoeken van jullie en dat gedoe over het voetbalveldje... En nu een multicultimaaltijd organiseren.' Hij lacht. 'De wonderen zijn de wereld nog niet uit.'

Sven grijnst een beetje. Hij heeft geen zin om uit te leggen waarom hij van gedachten is veranderd.

'Maarre...' Joep kijkt naar de ingang van de school. 'Is het feest al afgelopen? Ik heb speciaal niet gegeten vanavond.'

'Nee, nog lang niet.' Daan gaat bij Sven achterop zitten. 'Wij komen zo weer terug.'

'Ja, ja.' Aan Joep is te zien dat hij het niet vertrouwt.

'Tot zo! Rijden, Sven.' Daan geeft zijn vriend een zetje in zijn rug en gaat op de bagagedrager zitten.

Als ze de hoek om fietsen, staat Joep hen nog altijd na te kijken.

'Die vertrouwt het niet.' Daan pakt een stang van de bagagedrager wat vaster beet. 'Het liefst had hij even in de tas gekeken.'

'Best lastig dat die doeltjes weg zijn,' grinnikt Sven. 'Hangen we 'm hier op?'

'Lijkt me een goeie plek.' Daan steekt zijn duim omhoog. 'Vanaf de weg is-tie goed te zien.'

'Blijf jij daar staan?' Sven loopt met de touwtjes in zijn hand naar achteren, zodat het witte laken strak wordt getrokken.

'Echt een gave tekst!' Daan bindt een van de touwtjes aan een tak. Nog een extra knoop... Zo, die schiet niet zomaar los. Hij wacht even tot Sven ook het bovenste touwtje vast heeft gemaakt. 'De onderkant?'

De jongens trekken het doek strak en binden het onderste touw vast.

'Helemaal top!' Daan doet een paar stappen naar achteren en leest:

Tevreden lopen de jongens naar de fiets. Ineens zien ze een flits. 'Nee, hè! Daar heb je hem weer!' Daan herkent Joep direct. 'Ben je ons gevolgd?'

'Sorry.' Joep maakt een verontschuldigend gebaar. 'Jullie deden een beetje geheimzinnig. En die tas...' Hij knikt naar de tas die Daan nog altijd in zijn hand heeft. 'Ik had een vermoeden dat jullie weer iets op wilden hangen. Daarom heb ik mijn fiets gepakt en ben ik achter jullie aan gereden. Maar...' Hij wijst op het spandoek. 'Ik had niet verwacht dat jullie deze tekst op zouden hangen. Is het een goedmaker?'

De jongens knikken.

'Dat vind ik een geweldig gebaar.' Joep knikt tevreden. 'Ben ik even blij dat ik jullie ben gevolgd.'

'We hebben er nog één.' Daan besluit Joep nu alles maar te vertellen.

'Nog een spandoek?' Verrast kijkt Joep naar het tasje. 'Net zo'n aardige tekst?'

'Beetje anders,' grinnikt Daan. 'Deze hangen we bij school.'

'Die wil ik ook zien.' Joep geeft de jongens enthousiast een klap op hun schouder. 'Jullie snappen tenminste dat een journalist nieuws nodig heeft om de krant te vullen. Maar eerst een foto bij dit spandoek.'

'Geweldig!' Joep klapt in zijn handen.

Tussen de basketbalpaal en een boom hebben de jongens het tweede spandoek op het plein opgehangen.

'Hé, waar blijven jullie...' Sofie komt met een schaaltje fruit in haar hand naar buiten lopen. 'Wat is dat nou?' Ze doet een paar stappen opzij om de tekst te kunnen lezen. Dan schiet ze in de lach. 'Geweldig! Wat een goeie grap.' Gelijk rent ze de school in. Het duurt niet lang of ze komt weer naar buiten, gevolgd door de leerlingen van groep acht, de asielzoekers en de juffen en meesters. Sommigen hebben hun schaaltje of bord in hun hand.

'Daar!' Sofie wijst.

Het duurt heel even, dan gaat er een luid gejuich op.

'Wat is hier aan de hand?'

Meester Rob en juf Antoinette staan met een verbaasd gezicht in de deuropening. 'Mooie boel!' De meester schudt zijn hoofd. 'Wij gaan ijs halen en als we na tien minuten terugkomen is iedereen ineens verdwenen.'

De juf stoot hem aan en wijst naar het spandoek.

Dan pas ziet meester Rob het doek hangen. Hardop leest hij:

'Dat had slechter gekund.' Lachend slaat hij zijn arm om de juf heen.

'Ik krijg het er warm van,' zegt de juf.

'Het ijs ook! Kom mee, voor het gesmolten is.' De meester gebaart dat iedereen binnen moet komen.

Daan stoot Sven aan. 'Deze vonden ze in ieder geval leuk. Nou die andere nog.'

Als Daan een paar dagen later thuiskomt, staat zijn moeder hem met de *Nieuwsflits* in de keuken op te wachten. 'Je staat er goed op!'

'Echt waar?' Daan gooit zijn rugzak in een hoek en pakt de krant aan.

Lang hoeft hij niet te zoeken. Boven aan de voorpagina staat met vette letters:

DE FONTEIN GAAT MULTICULTI.

Eronder staat een bijna paginagroot artikel met drie foto's: behalve van de twee spandoeken is er een foto genomen van de overhandiging van de twee fietsen.

Daan gaat zitten en met zijn jas nog aan leest hij het verslag van Joep van der Wely.

Als hij halverwege is, klinkt z'n mobiel. 'Hé, Lotte!'

'Hoi Daan. Heb je de krant al gezien?'

'Die zit ik net te lezen.'

'Stoer hè! Het eind heb je zeker nog niet gelezen? Luister!' Gelijk gaat Lotte verder: '"Een schitterende actie van groep acht van De Fontein! Sportief ook van Sven en Daan, twee jongens van deze groep. In de herfstvakantie hingen ze spandoeken op als protest tegen de komst van de asielzoekers, omdat ze ineens hun voetbalveldje kwijt waren. Nu hebben zij ervoor gezorgd dat er een spandoek met een heel andere tekst te bewonderen is. Sven en Daan: Geweldig!"'

Daan heeft het laatste stukje met Lotte meegelezen. Hij weet niet goed hoe hij moet reageren.

'Nou?' klinkt de stem van Lotte. 'Gaaf toch! Mag ik die ahum... die geweldige gozer vanavond op een milkshake trakteren?'

18

'Welke smaak wil je?'

Daan en Lotte staan voor de balie van McDonald's.

Daan schiet in de lach. 'Welke smaken zijn er?'

Verbaasd kijkt Lotte opzij. 'Je kunt toch lezen? Daar staat het.' Ze wijst naar een van de borden. 'Banaan, framboos en aardbei.'

Daan schudt zijn hoofd. 'Toen de juf en meester hier waren moest ik bedienen, weet je nog? De juf wilde ook een milkshake en vroeg welke smaken er waren, maar daar kon ik niet op komen. Echt stom.'

'En toch hadden ze niks door,' lacht Lotte.

'Zeg het eens!' Een medewerker pakt een dienblad en kijkt Lotte en Daan vragend aan. 'Hé, Daan!'

'René!' Nu pas ziet Daan dat de filiaalchef tegenover hen staat. 'Ik had je helemaal niet gezien.'

'Klopt.' René knikt. 'Ik kom net binnen. Is dat je vriendin?'

'Ja, Lotte was er ook bij toen de juf en meester hier kwamen eten.'

'Zijn ze nog altijd verliefd?'

'Volgens mij wel.' Lotte lacht.

'Mooi zo.' René knikt tevreden. 'Het was een geweldige grap. En goeie reclame! Kijk, ik heb het artikel ingelijst en opgehangen.' Hij wijst naar een muur.

'Zijn de juf en de meester hier nog wel eens geweest?' wil Daan weten.

'Ik heb ze daarna nog een keer gezien. Maar... wat willen jullie hebben?'

'Doe mij maar een aardbeienmilkshake,' zegt Lotte.

'Ik een bananenmilkshake.'

'Doen we.' René draait zich om, pakt twee bekers en zet die onder een automaat.

Daan kijkt rond. Een vader en moeder zitten met twee kinderen te eten. Een eindje verder zit een verliefd stelletje. Tussen de jongen en het meisje in staat een beker ijs. De jongen heeft alleen een lepel. De ene hap is voor zijn vriendin, de volgende neemt hij zelf. Ze hebben de grootste pret.

'Alsjeblieft.' René zet de milkshakes voor hen neer. 'Rondje van de zaak.' Hij wuift het geld dat Lotte heeft gepakt weg.

'Oh... bedankt!' Lotte stopt lachend het geld terug in haar portemonnee. 'Ik had beloofd Daan te trakteren.'

'Dan houdt Daan dat tegoed.' René geeft hen een knipoog. 'Doe de groeten aan de juf en meester.'

'Lekker.' Daan duwt het rietje door het deksel heen. 'Bedankt!'

Lotte grinnikt. 'Graag gedaan. Zo is het goedkoop trakteren. Maar in de kerstvakantie gaan we nog een keer, oké?'

'Vakantie...' Daan zet zijn beker op tafel. 'Daar heb ik echt zin in. Hoeveel weken nog?'

'Drie. Volgende week is het Sinterklaas, daarna zullen we wel veel oefenen voor de kerstviering.'

'Help, Sinterklaas!' Daan kijkt Lotte geschrokken aan. 'Heb jij je surprise al gemaakt?'

'Tuurlijk. En m'n gedicht ook. Jij niet?'

Daan schudt zijn hoofd. 'Ik moet nog beginnen.'

'Wie heb je?'

'Dat mogen we niet zeggen van de juf.'

'Ik vertel het aan niemand,' belooft Lotte.

'Ik heb de juf.'

'Echt waar! Lachen!'

'En wie heb jij?' wil Daan weten.

'Maurice.'

'Wat heb je... Wacht even.' Daan pakt zijn mobiel en kijkt op het scherm. 'Het is Sofie. Hoi zusje. Kun je ons... Wat?... Dat meen je niet!... Maar... Echt waar?... We komen er gelijk aan.'

'Wat is er?' Lotte kijkt hem nieuwsgierig aan.

'Ze hebben de school onder gekalkt!'

'Wat?'

'Sofie kreeg net een sms'je van Brenda. Die was naar dwarsfluitles geweest en fietste daarna langs school. Het viel ze op dat ons spandoek er niet meer hing.'

'Het spandoek voor de juf en meester Rob?'

Daan knikt. 'Daarom heeft ze haar fiets neergezet en is ze het plein opgelopen. Toen zag ze het spandoek in de bosjes liggen.'

'Welke gemene...' Lotte balt haar vuisten.

'En op de muur was geschilderd,' gaat Daan verder. 'Net als op de huisjes van de asielzoekers.'

'Weer over buitenlanders?' Geschrokken slaat Lotte haar hand voor de mond. 'Wat erg voor Nasim! Wat staat er?'

Daan schudt zijn hoofd. 'Dat weet ik niet.'

'We gaan kijken.' Lotte neemt nog een paar slokken van haar milkshake en gooit de beker dan in de prullenbak.

Bij de ingang van het plein staan Sofie en Brenda op hen te wachten.

Daan en Lotte zetten hun fiets op de standaard.

'Waar is het?' wil Daan weten.

'Op de muur van groep twee.' Sofie kijkt hen met een strak gezicht aan.

Zwijgend lopen ze met z'n vieren over het plein, dat gelukkig goed verlicht is.

'Kijk,' wijst Brenda.

Half tussen de struiken ligt het laken, helemaal in stukken gescheurd.

Ze lopen de hoek om tot ze op het plein van de onderbouw komen.

'Nee!' Geschrokken slaat Lotte een hand voor haar mond.

Op de muur is in rode letters geverfd: buitenlanders ROT OP!

Wie doet zoiets? En waarom? Is dit het werk van een persoon, of van meerdere?

Van alles flitst er door Daan heen. Waar is Sven eigenlijk? Zou hij... Nee! Sven heeft het niet gedaan!

Achter zich hoort hij een auto stoppen. Als hij omkijkt, ziet hij juf Antoinette en meester Rob aan komen lopen. Die zijn vast door Sofie gebeld.

Meester Rob schudt zijn hoofd als hij de tekst op de muur leest. 'Het wordt tijd dat hier een einde aan komt.'

De juf knikt. 'Maar waar moeten we zoeken?' Ze kijkt naar meester Rob. 'Als jij de politie belt, rijd ik even naar Nasim. Die moet weten wat er is gebeurd voor ze het van iemand anders hoort.'

'Afgesproken.' Meester Rob haalt de sleutel van de school uit zijn zak. 'Lopen jullie met mij mee?' Hij knikt naar Daan, Sofie, Lotte en Brenda.

'Ik kom zo.' Daan wijst naar zijn mobiel.

... drie, vier, vijf keer gaat de telefoon over, dan een klik: 'Dit is de voicemail van Sven. Ik kan nu even niet opnemen. Laat een bericht achter dan bel ik je zo snel mogelijk terug. Doei!'

'Hè? Hoe kan dat nou?' Daan kijkt met een ongelovig gezicht naar zijn mobiel.

'Wat is er?' De meester draait zich om. 'Nog meer problemen?'

'Sven neemt niet op! En anders is hij altijd bereikbaar.'

'Wat?' Lotte slaat haar handen voor haar mond. 'Zou Sven...'

'Nee.' De meester schudt zijn hoofd. 'Ik kan me echt niet voorstellen dat Sven dit heeft gedaan. Hij was juist zo enthousiast op ons multicultifeest.'

De juf knikt instemmend. 'Daar heb je gelijk in. We moeten nu niemand gaan verdenken. Laat dit hele gedoe maar aan de politie over.'

'Goed gesproken.' Meester Rob steekt zijn duim op. 'Luister! Ik heb een plan. Jij...' hij knikt naar de juf, '... rijdt even naar Nasim. Ik ga in school de politie bellen en jullie...' Hij wijst naar de kinderen. 'Jullie gaan naar de Mac.' Hij haalt zijn portemonnee tevoorschijn, pakt er een briefje van tien euro uit en geeft dat aan Daan. 'Een ijsje voor de schrik, dat hebben jullie wel verdiend.'